D1514838

The Lorette Wilmot Library
Nazareth College of Rochester

DEMCO

Femenino Singular

Tina Pereda

Femenino Singular
Antología de Mujeres

Poetas de Málaga

EDITORIAL ALHULIA

LORETTE WILMOT LIBRARY
NAZARETH COLLEGE

© Dra. Tina Pereda
Nazareth College of Rochester
Rochester, NY, USA

Editorial Alhulia, S.L.
Plaza de Rafael Alberti, 1
18680 Salobreña - Granada - España
Teléfono/fax: 958 82 83 01
eMail: alhulia@alhulia.com • www.alhulia.com

ISBN-13: 978-84-96641-07-5 • ISBN-10: 84-96641-07-4
Depósito legal: SE-2511-2006 Unión Europea

Imprime: Publidisa

Impreso en España

Índice

ÍNDICE

Introducción

EMPRENDER la labor de seleccionar y prologar una antología de poetas, es siempre camino arduo. Hay que moverse a tientas en un mare mágnum de textos y poetas. La costumbre de postular generaciones sea de grupos o tendencias estéticas o de tratar de encajar textos dentro de un movimiento determinado, ya no funciona. Lo que queda es una voluntad decidida de rescatar el lenguaje poético como un canon de verdad y de búsqueda en tiempo de crisis.

Las antologías en general, y entre ellas *Femenino Singular*, siempre se han encontrado en las encrucijadas de tener que lidiar entre los poetas, el público lector y la academia. Es necesario y frecuente tener que responder a la pregunta ¿por qué una antología más? Una antología presenta siempre una evaluación, dictada por gustos personales, aceptación pública de los poetas, antes de que los historiadores de la literatura empiecen a formular teorías, trazar líneas, enunciar principios u obtener una terminología adecuada. Es siempre refrescante leer a nuestros poetas sin parámetros determinados que los delimiten. Hay que leer simplemente por el placer de hacerlo. Las evaluaciones personales ya vendrán después.

El lector se preguntará sin duda cuál es la cohesión que vincula a las diez mujeres poetas seleccionadas en *Femenino*

Singular. Voy a ello. Se podría partir del postulado que una antología implica siempre una homogeneización, una selección, una perspectiva, un barómetro que sirva de medida o de límite. O pensar que una antología debe de seguir irremisiblemente un baremo generalizado y que dicte los postulados ya aceptados de lo que debe de ser una antología. En ese sentido *Femenino Singular* no encaja dentro de los límites en los que generalmente se presenta una obra de esta categoría. Ciertas variables generacionales se dan aquí. Las cuestiones de fechas de nacimiento no remiten al nacimiento de las poetas sino al nacimiento de sus obras (con excepción de María Victoria Atencia). La variable Málaga, como lugar geográfico, donde las poetas se encuentran afincadas, es uno de los puntos homogeneizadores, aunque esto no signifique nada más allá de lo concreto: unidad de lugar de origen, o de trabajo que no va a resultar en una medida homogénea estética. *Femenino Singular*, es una antología de género y de tiempo presente. La antóloga se sitúa en el momento actual y debe rastrear y dar cuenta de una diversidad cuyo pluralismo permita flamear todas las banderas.

Esta antología, sin entrar en la antigua polémica bizantina, de lo que pudo ser y no fue, ofrece un microsomas poético de diez mujeres poetas, voces noveles algunas, otras voces más conocidas y reconocidas. Si hubiera que señalar una llave común tal vez sería la autonomía y la singularidad de cada una de ellas.

No cabe duda que publicar una antología implica sus riesgos. En ocasiones prepondera el gusto del antologador e incluso su falta de rigor. A veces interviene incluso el editor que trata de estructurar el material de una forma paramétrica y ordenada. En este caso de *Femenino Singular* se pidió a las poetas que enviaran sus propias biografías en primera persona, con la intención de marcar un acento personal y anecdótico, circunstancias que solamente ellas podrían desvelar. Cinco poetas así lo hicieron, mientras que el resto lo enviaron en tercera persona. Se decidió que así se llevaría a cabo en la publicación dando la oportunidad al lector del posible impacto que ello pudiera ofrecer.

Lo importante es el marco epistemológico sobre el que se aborda el estudio de la literatura de género, en nuestro caso, el modular una teoría, o varias, una metodología que conduzca a las lectura de una buena selección de textos poéticos. Hay que tener en cuenta que la selección de poemas es, de alguna forma, representativa ya que fue escogida en su mayor parte por la propia poeta.

Femenino Singular es un lugar nuevo, donde a la hora de compilar se recurrió, como se ha dicho, a voces viejas y nuevas, consagradas y sin consagrar para formar el cuerpo de un libro novedoso y vital. Este libro es una llamada de atención para que el lector aprecie una puesta al día: a veces es la voz poética de rebeldía juvenil, o la mirada agresiva a una sociedad hostil.

En *Femenino Singular*, como en la literatura en general, el canon está determinado en las bases de ideología, distribución de poder, política, identidad social y valores sociales. Hay que remarcar sin embargo que nunca la norma de género en sí, debería determinar el lugar, tiempo y espacio en el valor de los textos implicados. Dice Enrico Maria Santi: «Todo discurso acerca de una literatura escrita por mujeres implica hoy día, en nuestra sociedad, un gesto político. Escribimos sobre la escritora, le dedicamos simposios y antologías, porque tradicionalmente nuestras instituciones le han vedado acceso a la circulación del conocimiento» [1]. Una antología puede ser compilada según los más diversos puntos de vista: para dar a conocer el estilo creativo de un grupo de poetas, de una tendencia o escuela determinada, para ofrecer una sinopsis o vista de conjunto de un género, o para ilustrar con ejemplos temas o teorías concretos. No dejaría siempre de ser una recopilación de unos textos determinados bajo criterios subjetivos que construyen testimonios valiosos del gusto de una época. La antología queda justificada por su función específica y esencial.

La poesía de mujeres, como movimiento se podría trazar a través de los siglos. Ya aparecen poetas en la Edad Media y Renacimiento cuyo canon ya aparecía influenciado por el poeta italiano Petrarca. En la poesía escrita por hombres, ya aparecía la mujer marginada al estar ausente. La mujer aparece simplemente como objeto de inspiración mientras que mujeres como Florencia Pinal y Beatriz Galindo se inspiraban en temas más novedosos e intrínsicos con la intención de ser leídas y escuchadas. Su lirismo ya ponía de manifiesto su compromiso vital y su dimensión estética.

En el siglo XV, la mujer desempeñaba un importante papel en las composiciones amatorias como objeto de deseo y a través de esas descripciones se nos permitía descubrir la situación de la mujer de la época. La poesía amatoria cortesana se concentraba en la mujer con halagos, ruegos y reproches. Des-

---

[1] ENRIQUE MARIO SANTI: *El sexo de la escritura*. Inter. American University Press. Hato Rey, PR. 1982. pp. 146-149.

taca siempre la ausencia de mujeres escritoras, con excepción tal vez de Florencia Pinar. Según Snow calcula un porcentaje de seis por ciento en setecientos hombres en la época[2]. La mujer como objeto de deseo del varón no tenía voz propia y lo que sabemos de ella es a través de la voz del poeta. Aprendemos que la fisonomía que se pintaba de la mujer era exclusivamente física y que para ser loada tenía que proceder de estamento nobiliario. Los cancioneros del siglo XV describían una imagen de mujer deshumanizada. No era una dama bella por ser mujer, sino por no ser mujer común, o por ser elegida por Dios o por la naturaleza. La finalidad específica de la mujer era la salvación del hombre al actualizarse en la dama la visión paradisíaca.

Las mujeres poetas del siglo XIX escriben sobre temas de otredad, de seres marginados: Josefa Masanés (1811-1887), Rosalía de Castro (1837-1885), Ángela Figuera-Aymerich (1902-1984), entre otras, revelan su lirismo a través de temas candentes como son la violencia doméstica, y la dificultad de la mujer para conseguir un desarrollo intelectual, y el abuso de los atributos físicos de belleza de la mujer como mero vehículo de inspiración en el hombre.

La historiografía literaria a principios del siglo XX nos lleva a nombres de mujeres poetas: Josefina de la Torre, Ernestina de Champurcín, Rosa Chacel, aunque no fueron nombradas en algunas antologías importantes como la de Federico Onís en su *Antología de la poesía española e hispanoamerica-*

---

[2] SNOW, J.: «The Spanish Poet Florencia Pinar», in *Medieval Women Writers*. Manchester-University Press, ed K.M. Wilson, 1984, pp.320-332.

na (1882-1932), en donde incluye un apartado a «Poesía Femenina» en el que inserta a las poetisas iberoamericanas del postmodernismo (1905-1914) (1934) no incluyendo a ninguna española. Hay otra antóloga María Antonia Vidal en *Cien años de poesía femenina e hispanoamericana (1840-1940)* (1943) que incluye además de las mujeres poetas ya mencionadas, a Margarita de Pedroso, Pilar de Valderrama, Elena Cruz-López y por supuesto la propia antóloga María Antonia Vidal. Hay otra antología publicada en 1946 por César González Ruano, *Antología de poetas españoles contemporáneos en lengua castellana* que llega a incluir a once mujeres, además de las ya mencionadas: Elisabeth Mulder, Carmen Conde, Cristina de Arteaga, María Teresa Roca de Tagores, Ana María de Cagigal y Ana María Martínez Sagi. Muchas otras antologías se podrían mencionar escritas ya en el siglo XX donde se omiten muchos nombres de mujeres poetas importantes. No pretendemos hacer aquí un estudio bibliográfico de antologías pero es bueno hacer una breve revisión historiográfica para llevarnos a conclusiones oportunas. José Carlos Mainer en 1990, en su conferencia homenaje a María Teresa León, en los cursos de verano de El Escorial, reconocía la injusta situación que sufrían los nombres femeninos en el grupo llamado de 1927. Él mismo mencionaba que en la revista *Noroeste* de 1935 aparecían mujeres poetas como Dolores Arana, Mercedes Ballesteros, María Cegarra Salcedo, Elena Fortún y otras más. Mainer, en su conferencia, trata de justificar una generación femenina del 27, abriendo la opinión pública a otras investigaciones posteriores como la antología de Emilio Miró en 1999, *Antología de poetas del 27*, donde sólo aparecen cinco mujeres poetas que él consideraba importantes: Concha

Méndez, Rosa Chacel, Ernestina de Champurcín, Josefina de la Torre, Carmen Conde.

Numerosas mujeres poetas a través de los siglos han tratado de establecer su propia identidad deconstruyendo una cultura predominantemente patriarcal, donde a la mujer se le ha dejado relegada a un segundo o tercer plano simplemente por ser mujer. Resulta difícil realizar un estudio de la imagen de la mujer poeta si se lleva a cabo por poderes del discurso patriarcal, que deja entrever prejuicios, ironías, que pospone y olvida textos que ayudarían a mejor comprender la heterogeneidad del presente.

Sí, nuestra antología *Femenino Singular* necesita, reclama y exige un espacio, lugar y tiempo ahora en el siglo XXI. Las voces de las mujeres poetas que aquí se incluyen sacan a luz nuevos enfoques literarios más acordes con la polisinfonía que representa la integración social del momento.

El concepto de antología resulta todavía vago, tras la publicación de una nueva en el mercado surgen invariablemente acerbas críticas, comentarios denigratorios aunque tampoco falten, afortunadamente los positivos, los elogiosos y benévolos. Las inclusiones dependen exclusivamente de un solo antólogo lo que podría prestarse sin duda a cierto subjetivismo.

Cuando se empezó a elaborar *Femenino Singular*, hace ya varios años, envié a cada poeta seleccionada un cuestionario con diez someras preguntas para que se respondieran de una manera personal y cándida. Algunas afablemente me mandaron las respuestas que han sido aquí incluidas íntegramente en cada capitulo correspondiente. Otras optaron por no responder al cuestionario, cuyo deseo se ha respetado también. En este sentido se podría considerar el libro como una *antolo-*

gía consultada ya que los mismos poetas nos han proporcionado sus opiniones.

A las diez poetas seleccionadas las homologa su nacionalidad, lugar geográfico, momento de publicar y canon de género. No es poco. Nos hablan en directo sobre su poética, su propia selección de poemas, y comentarios críticos seleccionados sobre su obra escrita. Como toda antología, ésta no deja de exhibir su valor de *muestra*. Las poetas elegidas se embarcan en un diálogo personal con su propia estética, mas allá de una posible afiliación conjunta que las hermane entre sí.

Una rápida mirada panorámica por la poesía española de la postguerra nos lleva a los años 40 con «Hijos de la ira de Dámaso Alonso», que trata de liberal el verso de la traba formalista. En los años 50 el lenguaje se hace más directo y reflexivo en cuanto a la existencia del ser humano, Ángel González, José Ángel Valente entre otros plantean un estilo desnudo con léxico rico en una poesía de «pensamiento.» En los 60 influyen los gustos modernistas y surge una poesía narrativa-descriptiva y tal vez afectada por las corrientes vanguardistas de principios de siglo. Es en el movimiento *novísimo* que José María Castellet recogería en su antología *Nueve novísimos poetas españoles*, donde aparecería antologada una mujer, Ana María Moix. A medidos de los 70, sería el grupo de poetas del postnovismo, interesados por la tradición clásica pero entregados a una poesía más personal, huyendo de lo abstracto para inclinarse a la propia intimidad. La poeta Blanca Andréu será una de las representantes de los años 80 junto a Luis García Montero, Andrés Trapiello, Benítez Ariza y una larga lista que rechaza la experimentación o la metapoesía para regresar a lo sobrio, a los sentimientos y a las vivencias. La poesía de los 90 es la llamada poesía de «la experiencia» cuyo uso de los mejores exponentes es sin duda Juana Castro (1945) que empieza a hacer confesiones sobre el abuso de la belleza y del cuerpo de la mujer criticando a una sociedad que sobrevaloriza lo externo sin llegar a los verdaderos valores de la mujer, una sociedad que busca la mujer objeto, la dificultad que la mujer tiene para poder escribir y ser comprendida. Ya lo habían hecho Josefa Masanés (1811-1887), Gloria Fuentes o Susana March.

Antes de empezar a glosar a las diez poetas de *Femenino Singular*, hay que reflexionar sobre las palabras de Octavio Paz cuando dice que el poeta es «hilo conductor y transformador de la corriente poética». Al leer la selección de poemas que integran este libro, el lector se hace partícipe de algo vivido o padecido, «cada poema es único, irreducible e irrepetible». A primera vista se observa la diversidad porque cada creación poética es «unidad autosuficiente». La perspectiva histórica de que estas poetas estén escribiendo en un mismo momento temporal no puede encasillar su obra poética. Cada poema presupone una obra, «objeto único, creado por una técnica que mueve en el momento mismo de la creación». Cada una de las mujeres poetas de esta antología tiene su estilo propio, estilo que ha podido utilizar, para adaptar o pintar «el fondo de la época que le ha tocado vivir, pero que adapta y transforma con sus propios materiales». El material común va a ser el lenguaje, que es el lenguaje poético, que se resuelve en poemas irrepetibles de imágenes, símbolos, colores, visiones, luces y sombras únicos. La poeta ha trasformado la materia prima para penetrar en el mundo único de las significaciones. «El poeta pone en libertad su materia», «la palabra en libertad», y pone de manifiesto su mundo interior, sus valores primarios.

María Victoria Atencia, no necesita presentación. Es conocida no solamente en su tierra, Andalucía, sino más allá de los limites geográficos peninsulares. Su obra ha sido estudiada, recopilada, difundida, publicada y traducida a numerosas lenguas. El mundo virtual y digital nos permite entrar en la obra de María Victoria Atencia con facilidad. Los estudiantes norteamericanos pueden hablar de esta poeta en detalle, escuchar sus poemas (leídos por ella misma) y tener acceso al trabajo bibliográfico con interés y encontrar lo que desean y buscan. El poema de María Victoria Atencia es el «Puente Atlántico» que une culturas, defienden valores humanos, despierta interés escolástico. Es resumen paradigmático de lo que es una mujer poeta de voz propia, de obra madura y calidad demostrada. Tal vez no pueda yo añadir nada nuevo, algo que no se haya dicho ya en algún momento y por alguien bien preparado en la materia. Tal vez sea el lector quien pueda hacer su propia reflexión dentro de este generoso panorama que aquí se presenta. A través de su entrevista con Lucía Coer aprendemos que para María Victoria Atencia la poesía es «asedio», «búsqueda perseverante» y un «encuentro». Esas tres palabras asedio, búsqueda, encuentro, resumen la poética de María Victoria Atencia. Leyendo «Sazón», «Mar», «La rueda», vemos el tiempo detenido en un punto. Un punto solo. Un punto como una piedra, como una gota, como una perla. Es un presente, que nos ancla y nos lleva al pasado y nos refiere al futuro.

Hay un trabajo, más o menos exhaustivo de María Dolores Gutiérrez Navas (http://www.mvatencia.com/) que nos ofrece un estudio panorámico de casi todos los libros publicados hasta 1997 con datos bibliográficos que dan al interesado una perspectiva general de ediciones, antologías, traducciones, etc. Su poesía siempre ha alcanzado un cálido reconocimiento y encendidos elogios ya desde sus primeras obras. Su última obra publicada hasta el momento es *De pérdidas y adioses* (2005). Lo que algunos críticos tildan de dualidad para expresar contradicciones internas en la poesía de María Victoria Atencia se podría más bien interpretar como un tomar y retomar que a veces implica retorno. Los parámetros de esta antología no nos permiten analizar a fondo su poesía inigualable. Por otra parte no es necesario ya que se han hecho estudios críticos de gran rigor que han dado cuenta de la importancia de su poesía más allá de nuestras fronteras.

Isabel Bono nos dice: «Desde el momento en que oí la frase "Sólo se vive una vez", me puse a escribir. Tenía seis años. Quizá pretendía más, serlo todo. Yo no pretendo nada, pero sigo escribiendo por puro placer». Isabel resultó ganadora del «I Premio Internacional de Poesía Hispano-Lusa: Homenaje a León Felipe», fallado en la Villa de Tábara-Alba-Tras Os Montes.

Ya se ha dicho que Isabel Bono es el intento de renovar. Su imaginación nos lleva a lugares insospechados, con el corazón a flor de piel, a Isabel Bono hay que encontrarla más allá de sus palabras. El lector y la poeta deben comunicarse entre los espacios y el silencio: «De nada me sirve lo que sé: / La lluvia no es más que agua / la luna no es más que una piedra mal iluminada / soy un cuerpo desnudo que no quiere morir.» (*Días impares*). A veces es un juego de palabras, otras es la formula de los contrarios. Para Isabel crear un poema es algo físico que le espera en sitios inesperados y que ella busca a la deriva pero siempre consciente de que lo hallará. Isabel aunque afirme «yo soy mi propio tema», busca fuera de sí misma la señal del vuelo, signo de libertad de algo que le mantenga viva. El juego de palabras y lo lúdico a veces nos despistan del verdadero sentido de su poema: «Alcohol no hay / una manzana no es mucho / hoy viviré de espaldas / cualquiera podrá dispararme.» (*Ni héroe ni insecto,* 2001). Un solo poema de Isabel Bono no se podría analizar independientemente del resto de su obra, hay que incorporarlo en conjunto a los demás poemas para tratar de abarcar su impacto. Su anarquía vanguardista de estructura, nos habla de su deseo de encontrar odres nuevos en ámbitos desconocidos aunque en el fondo yacen los temas universales de miedo, soledad y muerte.

Teresa García Galán enseña español a estudiantes extranjeros, lo que le obliga a vivir fuera de su propia cultura y «aparentar un viaje constante», en sus propias palabras. La poesía es para Teresa acercarse a su propia esencia, «objetivar, fijar e investigar», lo que es y en esa angustia (siguiendo a Bataille), encontrar su oportunidad. Teresa se acerca a su poema con movimiento existencial, «respirar a través del poema», porque sólo en el poema «se acerca uno a lo que es», «la posibilidad, la esencia misma de la rebeldía, insubordinación y libertad».

Teresa García Galán tal vez no ha tenido el tiempo necesario para publicar más y es lástima porque su lenguaje poético es lo que podríamos llamar la emergencia de las «poéticas del habla» que constituye la mayor expresión de la fortaleza lingüística y la eficacia discursiva. En su poema «Laberinto» dice: «No soy libre, / el laberinto crece como una obsesión / y no hay espacio en la memoria. / Habrá que acomodarla: devastar los muros, / taladrar los árboles, dormir en las aceras, /

restituir aquella vocación desde los palcos, / su incertidumbre, el resplandor...» (*Redes imprevistas*, 1989). A través de símbolos o signos, Teresa se acerca a sus propios sentimientos, se acerca al sonido, color, piedra o palabra y los transciende y suscita en el lector una serie de constelaciones de imágenes y posibilidades. «Mi casa está en las afueras, / habito un escenario / de arpas y herraduras, / siniestro decorado / donde arrecia el desorden / e impera la sospecha: / un día cederéis a la bruma / y abandonaréis también la ciudad.» «Las afueras». El poema parte de una realidad que lleva a una serie de «traslaciones y refracciones» siempre en búsqueda de otra cosa como la misma poeta declara.

«Soy el desastre de la flor», nos dice **María Eloy García** en su poema «Botánica» y define su propia poética como un «hipnótico que solo es útil en el tratamiento del insomnio». Hay que acercarse a María y escucharle cuando se ríe, cuando bromea pero, sobre todo, hay que escuchar su poesía, sin tópicos, y tratar de ahondar entre sus breves respuestas. Es la poeta del siglo XXI en un momento de inobjetable expansión, mujer que explora, aunque no quisiera admitirlo, su campo de propia exploración formal, expresivo e ideológico. Es el exponente claro punto de vista, dentro de la temática poética actual que junto a otras poetas incluidas en esta antología, aporta nuevas direcciones creativas, teóricas y estéticas en lo que se podría llamar canon de género: «pero he aquí que soy / sin una triste orogenia sin un libre plegamiento / la certidumbre entera del edano / la alegoría más simple de la raya / la apariencia vista de lo horizontal / la única verdad de la línea.» «Canción de mis movimientos orogénicos», de *Cuadernillo de la serie Máquina y Poesía*, 2000.

Cualquiera que sea el poema a leer, María Eloy García esgrime su arma con valentía, ahora porque es joven, y después porque tendrá más experiencia para hacerlo. El uso de la palabra como lanza no es para herir sino más bien para advertir y despertar conciencia. Usa y acusa un estilo fino, lleno de ironía y sarcasmo. En «Alta metafísica del trapo» leemos: «la plancha es dios cuyo libro sagrado / es el de las instrucciones / la iglesia es el detergente quitamanchas / y la mancha la llevamos todos, / defecto de fábrica, / porque hay que vender detergentes; / el paso de tiempo está programado / hasta la feliz y centrifugante catarsis», de *Cuadernillo de la serie Máquina y Poesía*, 2000. María Eloy escribe con pasión, a veces con furia, porque tiene mucho que decir, porque para ella los sueños y los fantasmas parten de algo concreto y doméstico para formar parte de un tapiz, que igual que algunos cuadros barrocos, depende desde el ángulo en que se mire para asimilarlos.

María del Carmen Guzmán define su poesía «como un niño pequeño, un niño que grita, llora, ríe y tiene a veces pataletas». En uno de sus poemas dice: «Los niños, jinetes en las tapias / como las buganvillas, / eran pequeños dioses / que atrapan el tiempo», de *Gaia*, 1995. Muchos otros ejemplos se podrían citar de los poemas escogidos por María del Carmen que ilustran una forma de ser y retratar, observar lo que la rodea, y poetizarlo. La escoba es «paciente espada», «callada pluma», «bastón de mando», «varita mágica», etc. La poeta maga convoca y configura su propio andamiaje poético usando los materiales que tiene a mano. La poesía rezuma sentido del humor y ternura al mismo tiempo por aquello que forma parte de su vida como mujer y madre.

Inés María Guzmán se comunica a través del poema. La luz, el color, el sonido, el movimiento, el juego o el drama se presentan siempre en su poema aunque de diferente forma. Unas veces puede ser el río, o el mar, o el lago pero el agua no siempre fluye, puede ser la ola detenida o el lago congelado: «Una sombra ceñida a mi cintura. / Sobre mi vida está, sobre mis pasos. / Una sombra que persigue mis sueños / cabalgando de las lunas de mis noches. / Una sombra que nubla la memoria / como manto cubriendo claridades... / compañera por siempre hasta la muerte...» *La Sombra*, 1998. El ir y venir de la palabra, entre el silencio y la apertura; expresar el tiempo que se convierte en cadena, oración, enredadera o tejido. Inés nos habla a través del poema y espera, tal vez una palabra, o una mirada: «Está la muerte aquí / pájaro leve, / se adentra por las sombras / y se oculta detrás del antifaz / de su sonrisa», *Fe de vida*, 1996. Sea sombra, muerte, penumbra, los temas cambian aunque en la selección de esta antología no se puedan mostrar con eficacia, pero en los poemas de Inés María siempre hay efectos de luz espejada que nos muestra buenos ejemplos de «poesía de la experiencia».

La poesía de **Aurora Luque** la singulariza dentro del panorama lírico de la última década. Es difícil añadir algo nuevo sobre su estilo, su trayectoria o sus postulados. Sin embargo hay que decirlo y mencionarlo aquí aunque sea de una forma sucinta. La lectura de sus libros, ya sea *Hiperiónida*, 1982; *Problemas de doblaje*, 1990; *Carpe noctem*, 1994 o *Las dudas de eros*, 2000, nos invita a un diálogo constante entre la tradición clásica griega y la postmodernidad. El *carpe diem* se transforma en un *carpe noctem* y el viaje al Parnaso suele ir acompañado de personajes románticos como Bécquer, Keats,

Hoderlin e incluso Schlegel. Las playas mediterráneas del sur, con sus bañistas, parasoles, avionetas anunciadoras sirven de escenario para sus reflexiones de tono humorístico y tinte feminista y erótico. Los viejos mitos siempre persisten. Aurora Luque los reencarna de nuevo para que encajen en el tema de la temporalidad: «Todos los corredores / conducen a las mismas estancias familiares.»

No olvidemos que Aurora Luque hay que leerla conocedores de que es una experta en estudios clásicos de la literatura griega y también como una experta traductora, lo que le permite dar a sus versos un sabor clásico y un sentido desenfadado de lo contemporáneo. El libro ya mencionado *Hiperiónida*, 1982, lo escribió con tan sólo veinte años, pero ya dejaba entrever los temas fundamentales que más tarde reaparecerían en *Problemas de doblaje*, 1990, la dualidad mito-vida moderna: «Descríbeme tu viejo laberinto. ¿Es cierto / que existieron mil trescientas estancias donde / no detenerse?» y más adelante afirma: «Construiré laberintos para encerrar el tiempo: que equivoque su curso, que desdibuje su curso, que desdibuje su matemática. Oirás su mugido, su desvarío atroz.»

El mundo poético de Aurora está lleno de espacios geográficos en su mayoría mediterráneos, que se pueblan de mitos y personajes. Las imágenes se hacen más hondas en el laberinto de la existencia, preñado de preguntas sin respuestas. El deseo de amar y el deseo de morir, la vehemencia entre el cielo y el mar: «Carpe noctem, amor. Coge el brusco deseo / ciego como adivino, los racimos de pubis y las constelaciones, / el romper y el romper / de besos con dibujos de olas y espirales. / Miles de arterias fluyen / mecidas como algas. Carpe mare.» Hay otro poema «Hybris», del libro *Problemas de dobla-*

je, importante por su belleza pero también esencial para darnos maravillosa síntesis de la temática y las inquietudes de la poeta. Dice así: «En la cima, la nada. / Pero todo se arriesga por la cima / del amor o del arte.»

El Ícaro de la poética de Aurora Luque nos hace volar en un rapto místico hacia la nada y hacia el todo. Aunque las alas sean de cera, no importa, hay que seguir al deseo, a la zozobra y encontrarnos con personajes como Dido, Sísifo, Ariadna, Dédalo, Catulo. Tal vez su poesía sea transgresora y a veces irónica pero aunque no quisiéramos nos invita a la reflexión siempre. El hilo de Ariadna nos mantiene en vilo y sabemos que la palabra poética de Aurora Luque continúa marcando laberintos donde meternos, pasadizos y galerías que tendremos que seguir descubriendo porque como ella misma dice: «Desear es llevar / el destino del mar dentro del cuerpo.»

Chantal Maillard une su vocación poética a la vocación ensayística y filosófica. De origen belga se afincó en Málaga cuando contaba sólo trece años. Tras una década de silencio se reencontró con la creación poética en español. Doctorada en Filosofía Pura, es desde 1990 profesora titular de Estética y Teoría de las Artes en la Universidad de Málaga. Chantal ha pasado largas temporadas en Varanasi (India) y de ahí nace *La otra orilla* (1990) y 2004 fue Premio Nacional de Poesía con su poemario *Matar a Platón*. Entramos en el mundo de Chantal a través de sus numerosos artículos que nos ayudan a descifrar los mundos íntimos de la mujer poeta. Por nombrar algunos habría que mencionar: «El espacio sonoro de la India», 1998; «La razón estética», 1999; «Secretos y misterios», 2002. Tanto en su prosa como en su poesía descubrimos los exponentes que van a prevalecer a través de su obra:

27

la reflexión y la indagación que a veces se resuelve de una forma insólita: «He perdido las armas. / He tirado el escudo. / De entre todas las verdades elijo / una sola: la caricia del sol / en el tronco de mi alma / calcinada», *El desencanto de Quijote 4 Resurrección en la tierra*.

Hay que comentar brevemente sobre *Matar a Platón* libro que incluye dos poemas extensos. El primero lleva el título del libro y el segundo se llama «Escribir». El pensamiento fundamental gira alrededor de la palabra, sus límites y lo imposible de que el lenguaje y la escritura puedan llevarnos a la verdad real. Hay que matar a platón para poder recuperar el momento exacto, aclarado por la lógica y poder establecer el lenguaje de la verdad. O por el contrario liberarse de los parámetros, moldes, métodos y dejar libe a la palabra, una gramática sin pronombres; como decía el poeta Salinas. En su ensayo *La razón estética*, 1998, nos explica sus preocupaciones, sus meditaciones, pensamientos que vuelven a incidir en su obra poética: «La ética y la estética occidentales han puesto reiteradamente de manifiesto una preocupante crisis de valores que atañe tanto a la teoría como a la vida cotidiana. La razón estética ofrece una propuesta para nueva racionalidad que los tiempos actuales requieren.»

En sus poemas de *Matar a Platón* nos dice: «No existe el infinito: el infinito es la sorpresa de los limites», y añade «el infinito es el dolor de la razón que asalta nuestro cuerpo». Sus poemas despiertan el ansia y la inquietud de seguir reflexionando para ver si nosotros mismos llegamos a una posible resolución. El lenguaje de Chantal es convocatorio y hay que seguir adelante entre galerías de espejos y tal vez sea mejor callar o escribir porque como ella misma dice: «Escribir / para

curar / en la carne abierta / en el dolor de todos / en esa muerte que mana / en mí y es la de todos.»
Isabel Pérez Montalbán atestigua que «toda obra de arte (poesía) implica una protesta contra la realidad». Su poética que se incluye en esta obra resume brillantemente su ideología, su forma de pensar. «Prefiero no dormir para tener siempre los ojos abiertos: nunca los cierro ante la violencia, el hambre o la tiranía, nunca ante el amor y la entrega, el desamor y el vacío. Me considero víctima y participe de la injusticia.» Tal vez Isabel encaja en lo que se ha llamado «retorno de la poesía social», «poesía de resistencia», «testimonial». Cada poema lleva y conlleva siempre una postura, una visión del mundo. La palabra al servicio de la denuncia, como protesta y como esperanza. Palabra que implica un compromiso con los signos de una sociedad que nos ha tocado vivir. Isabel prefiere ser rebelde y usar sus poemas como «medio activo de denuncia, acusar a los pasivos, a los poderosos, a los vampiros sociales, a los dictadores, a los falsos demócratas, a quienes malgastan el amor o lo destruyen». Es representativa de la última «poesía de conciencia», dolor a flor de piel, surge la voz de la poeta que devuelve la poesía a la calle, nos recuerda a *Hijos de la ira* de Dámaso Alonso, o Blas Otero o Miguel Hernández. La voz de Isabel Pérez Montalbán es reivindicativa y tierna a la vez. Isabel se presta con diligencia, premura y mucha paciencia a cualquier entrevista que se le quiera hacer, es humilde, y le gusta darse, es generosa con su presencia y su palabra. Para entender bien a esta poeta hay que leer casi simultáneamente: «Frontera del cielo» de *Puente levadizo*, 1996 e «Identificación de cadáveres» escrito en 2004 (11 de

marzo). En el primer poema evoca al padre con ternura y sus excursiones que junto hacían al campo donde recogían «aquellos ramos secos de margaritas». «¿Recuerdas, padre? / en las carreras siempre te ganaba.» En el segundo poema, escrito mucho más tarde y motivado por los hechos del 11 de marzo del 2004, la voz surge de nuevo: «He visto padres que no reconocen / la ropa muerta del hijo, rechazan / su pequeña medalla; padres / que retrasan la carne de su carne / reniegan de lo inerte que fue suyo / precisan la genética y la duda», de «Identificación de cadáveres».

Para aquellos que piensan que la «nueva poesía social» es inexistente deben de leer a Isabel Pérez Montalbán, ya que cada época, periodo o década necesita de testimonios, de desgarro y de compromiso. Cualquier poema ha de servir de ilustración para lo arriba expuesto. Los poemas: «Burocracia», «La herencia», «Clases sociales», «Patria», «Manifiesto» y muchos más, marcan una pauta común en Isabel Pérez Montalbán, una crítica de su entorno, un diálogo entre el sufrir interno y el externo, entre el amor íntimo y el abuso del pobre olvidado. Es una poesía de desarraigo, de dolorosos relatos de guerra, de tiranía, que aun en tiempos de paz es leída con reflexión y emoción.

Rosa Romojaro es una de las poetas aquí antologadas que con diligencia y esmero contestó con suma paciencia a las preguntas y cuestionarios que yo había formulado y enviado de antemano. Gracias a ello Rosa nos ha dejado plasmada en estas paginas su poética en unas bellas páginas en donde nos abre sus arcanos para asomarnos a lo objetivo y a lo emocional, a lo pasional y a lo contencional, a la sensación y al sentimiento como ella misma indica.

Poeta muy conocida más allá de los límites regionales y nacionales, desarrolla su actividad creadora como poeta, ensayista, narradora y articulista en los medios de comunicación. Entre sus ensayos críticos hay que mencionar los dedicados al Siglo de Oro como *Lope de Vega y el mito clásico en el Siglo de Oro*, 1998. Estudio riguroso e indispensable para aquellos interesados en la disciplina y perspectivas interculturales sobre las literaturas españolas del Siglo de Oro. Romojaro nos muestra la diversidad cultural que da respuesta a la conciencia hermenéutica. Traigo a colación este estudio crítico porque he tenido la oportunidad de evaluarlo y creo con razón que los baremos usados en este estudio no dejan de existir también en la obra poética.

Zona de varada, publicado en Sevilla en 2001, el título responde a una experiencia visual que la poeta tiene de la zona donde los marineros sitúan las barcas para desguazarlas y cuya visión le lleva a parangonarla con el estado de vació y de espera que a veces rodea al ser humano. «Hacer poesía de ese vació y esa nada», en palabras de Rosa Romojaro. La soledad, el vacío, la nada y el mar sirven de fondo: «¿Éste es el silencio? Y ese tenue / rodar que no cesa: ¿qué es? / Éste es el silencio? Ha habido tanta vida / entre este silencio y aquel otro», *Zona de varada*, 2001. No hay nada, sólo el «paisaje marítimo y los cambios del día en el horizonte acotado».

Aunque tal vez el poemario *Agua de Luna*, 1986, nos ofrezca un arco iris antológico de temas y situaciones, no deja de tener una riqueza de matices, musicalidad y colorido léxico que hablan de la riqueza y dominio del lenguaje de Rosa Romojaro como se puede apreciar en «Rito», «Cámara lenta», «Souvenir, 1920». Los temas clásicos de amor y muerte aparecen en *La cuidad fronteriza* junto al de la duda, el temor, la identidad y el desarraigo. El sentimiento de no pertenecer a ningún sitio. La necesidad de buscar espacio para la memoria y para el recuerdo.

Los poemas de Rosa Romojaro son destellos de una prodigiosa galaxia que inspiran a tomar parte de una búsqueda que lleve a una posible salvación. Sí, su poesía es soledad pero también intercambio, no hay aquí nada previsible. Cada poema es a la vez el primero y el último. Rosa Romojaro tiene sus orillas de silencios pero se deja abordar.

Los límites de esta antológica desgraciadamente no me permiten extenderme más. Mi gusto hubiera sido compartir con los lectores todos aquellos poemas que de alguna manera me invadieron de emoción y dinamismo y explicarles el por qué. La gama de colores, nociones, pensamientos y reflexiones es extraordinaria. He tardado años en terminar este trabajo por razones diversas que no vienen a cuento especificar. Mencionaré que compilar y transcribir todo el material ha sido largo y tedioso, ya que cada poeta me envió su trabajo en diversidad de formas que tuve que repasar, unificar y corregir. Claro que la culpa la tuve yo por no especificar detalladamente cómo había que hacerlo. Sólo me queda pedir disculpas por los posibles errores y omisiones que se hayan podido cometer.

TINA PEREDA

Catedrática de Lengua y Literatura
Nazareth College of Rochester, NY

ANTOLOGÍA DE MUJERES. POETAS DE MÁLAGA

María Victoria Atencia

BIOGRAFÍA

Nace en Málaga, 1931, y ha residido siempre en esa ciudad. Abandona sus estudios de piano en el Conservatorio Superior de Música para dedicarse a la poesía. Casada y madre de cuatro hijos. Es piloto de aviación. Ocasionalmente se ha dedicado a algunos modos del grabado. Su obra se encuentra agrupada en los siguientes títulos: *Arte y parte, Cañada de los Ingleses, Marta & María, Los sueños, El mundo de M. V., El coleccionista, Compás binario, Paulina o el libro de las aguas, Trances de Nuestra Señora, De la llama en que arde, La pared contigua, La intrusa* y *El puente*. Es miembro de las Reales Academias de Málaga, Cádiz, Sevilla, Córdoba y San Fernando; «Honorary Associate» de The Hispanic Society of America, de Nueva York; vocal de la «Fundación María Zambrano» de Vélez Málaga, y miembro del Consejo Asesor de la «Fundación de la Generación del 27», Madrid.

POÉTICA

María Victoria Atencia prefirió contestar a esta pregunta concreta de «Poética» enviándome el cuestionario que se expone a continuación. Sus amplias y bien definidas respuesta cubren ampliamente las diez preguntas que originariamente se enviaron a todas las poetas.

CUESTIONARIO

El cuestionario que se incluye es al Lucía Coer en 1994 incluidas en su memoria de licenciatura por le Universita Delhi Stuide de Bergamo.

Pregunta.—La poesía, ¿te asalta o la buscas?

Respuesta.—En la poesía no hay asalto, pienso yo; ni siquiera asalto amoroso. Al menos en el sentido de que no hay un acometimiento por sorpresa. Más bien hay asedio; hay el resultado de una búsqueda perseverante, y de un juego de caricias recíprocas. Hay que salir a buscarla como en el *Cántico espiritual* de San Juan de la Cruz, que comienza precisamente por ese planteamiento: «¿A dónde te escondiste, Amado». Pero es la busca de quien ya se conoce y se ama y se siente amado, aunque en secreto a veces. Es salir en su busca, pero después de haber mantenido una larga e íntima convivencia. Y, al mismo tiempo, saber que ese amado, la poesía, el poema, está buscándonos a esa misma hora y rondando por los mismos sitios. Y el encuentro es como el de «dos palomas que se abrochan», según decía Salvador Rueda.

P.—¿Qué es la pasión?

R.—Desde luego, una turbación. Y, como la propia palabra dice, un «padecimiento». La pasión es una oscuridad y, como todas las oscuridades, transitoria. La pasión es una aventura del alma y puede convenirnos en su momento. Pero no en el momento del poema, porque su hechura requiere de todas las luces: de una lucidez total por nuestro interior. Exaltar la pasión fue una «pose» romántica. Yo comparto con el romanticismo la creencia en la inspiración; pero, como ya te he dicho, sin asaltos y como resultado de un búsqueda mutua.

P.—La poesía femenina está de moda en España. ¿Es algo más que una moda? ¿Tiene sentido hablar de poesía femenina?

R.—Creo que sería preciso comenzar decidiendo qué entendemos por «poesía femenina». He visto el catálogo de una exposición de desnudos «femeninos» y ninguno era obra de una mujer. Bécquer quería crear una biblioteca «femenina» (una biblioteca —sin ironía alguna— «de tocador»). Poesía femenina ¿es la que tiene a la mujer por asunto, como ese catálogo; por lectora, como ese proyecto de Gustavo Adolfo; o por autora, como se entiende ahora, de un modo unilateral? Vamos a convenir en que nos referimos a esto último, porque es lo que está de moda, sin que las otras dos interpretaciones hayan perdido validez ni —probablemente— la pierdan nunca. Temo a las modas —y las amo— porque pasan. Y se puede desechar un abrigo, pero ¿se puede desechar un libro, una obra entera? ¿No sabemos que «lo escrito, escrito permanece»? Safo no pasa de moda.

Ni Emily Dickinson, ni Rosalía de Castro. No necesitaron de una moda Delmira Agustini, Gabriela Mistral, Juana de Ibarbouru, Alfonsina Storni, aunque tan desigualmente válidas como los autores incluidos en cualquier catálogo. Hoy hay mujeres que escriben espléndidamente; cada vez más, por fortuna. Y yo me alegro infinitamente, si al lector no se le exige una consideración de tolerancia por el hecho de que esa poesía esté escrita por una mujer. Lo contrario —la exigencia de esa tolerancia especial, la obligatoriedad de un «cupo»— sería un agravio al «feminismo».

P.—¿Escribe la mujer, por esencia o por experiencia, de una forma diferente que el hombre?

R.—La experiencia de un hombre y la de una mujer son distintas, suelen ser distintas, en cada país, en cada tiempo, en cada raza, en cada lengua, en cada nivel de la sociedad o de la ocupación, en cada momento de su biografía y de su intimidad. La experiencia, cada experiencia, es el resultado de todo eso y de muchas más cosas. Y cuanto hay de ocasional, de circunstancial en un poema, necesariamente ha de verse afectado por ello y con no menos fuerza que la condición masculina o femenina de quien escribe, incluso considerando que toda sensibilidad se corresponde necesariamente con una constitución, por más que la experiencia nos muestre lo contrario. Béatrice Didier ha reunido las características de *l'écriture-femme*, que son —en definitiva— las de una escritura *naïf*. De mí —para no implicar a nadie— diré que no poseo esas notas con mayor definición que muchos otros libros «masculinos», no que no las posea. Y que, en todo caso, esas notas, esas características serían de mera redacción, y no creo que Béatrice pretenda otra cosa. Hablando, «esencialmente», ¿es más distinta una mujer de otra mujer, que una mujer de un hombre, o mujer y hombre son dos meras realizaciones posibles —y gozosamente— complementarias de una «esencialidad» humana? Para referirse a una posible diferencia poética esencial entre una mujer y un hombre habría que considerar —como mero auxilio— la posibilidad de una diferencia mística esencial entre la mujer y el hombre. Porque creo que ni la Poesía —ni Dios, como dice Pablo—, hacen «acepción de personas».

P.—La poesía ¿es un acto de descubrimiento y conocimiento, o de mera comunicación?

R.—Creo que el mar —te contesto a su orilla— seguirá siendo el mar sin nadie que lo sepa: *La mer, la mer, toujurs recommencée!* Antes de alguien con sentido de la apreciación después del último. Lo que ese mar no podría ser es «terrible» o «hermoso» o «insondable». Un poema sólo es posible en alguien: en quien lo escribe o quien lo lee, aunque ese mismo poema sea distinto para el uno y para el otro, e incluso distinto para un mismo lector cada vez que lo lea. La comunicación, por más que se busque gozosamente, por más que pueda constituir un premio y un estímulo, no es esencial al poema, no es algo sin lo que el poema no existiría. Seguramente es un conocimiento, pero un conocimiento inexpresable de otro modo que por el mismo poema: «o pour moi seul, *á moi seul, en moi-méme, / Auprés d'un coeur, aux sources du poéme...*», sigue diciendo Valéry. Y es un descubrimiento sin más duración que el tiempo que permanece en la memoria. Será preciso resignarnos a admitir que la poesía es un «en sí» al que los conceptos «descubrir», «conocer», «comunicar», sólo le son aplicables de un modo comparativo —y bastante tosco— con otras actividades propias de la condición humana. Con razón se ha dicho que *de la poesía sabemos que es imprescindible, pero lo que no sabemos es para qué.*

P.—¿Podrías resumir brevemente tu trayectoria poética?

R.—Podría intentarlo sí creyese que tengo trayectoria. Pero en poesía, ya se sabe: «*Se hace camino al andar*». Vamos a ciegas y a veces avanzamos merced a un tropiezo que no nos derriba: «Quien tropieza *y no cae / a su paso añade*». Otras veces andamos para desandarnos. Es posible que yo haya ido desplazándome desde un gozo por algo en cuya creación creyera tener «arte y parte», a un saber que «la *belleza, no tiene ni límites ni* aroma», aunque también que «*durante largos* meses *percibí su fragancia*»; desde un proclamar que «*ya está todo en sazón*», a un ir sabiendo que «un *buey de humo* arrastró *la noche*». Pero —y es lo que me importa— a un ir sabiendo también que cualquier momento *puede ser el momento para acatar la gracia*».

SELECCIÓN DE POEMAS

ALGUNOS POEMAS
Selección y notas de Victoria León

SAZÓN

YA está todo en sazón. Me siento hecha,
me conozco mujer y clavo al suelo
profunda la raíz, y tiendo en vuelo
la rama, cierta en ti, de su cosecha.

¡Cómo crece la rama y qué derecha!
Todo es hoy en mi tronco un solo anhelo
de vivir y vivir: tender al cielo,
erguida en vertical, como la flecha

que se lanza a la nube. Tan erguida
que tu voz se ha aprendido la destreza
de abrirla sonriente y florecida.

Me remueve tu voz. Por ella siento
que la rama combada se endereza
y el fruto de mi voz se crece al viento.

[De *Cuatro sonetos*, 1955 y *Arte y parte*, 1961]

EPITAFIO PARA UNA MUCHACHA

PORQUE te fue negado el tiempo de la dicha
tu corazón descansa tan ajeno a las rosas.
Tu sangre y carne fueron tu vestido más rico
y la tierra no supo lo firme de tu paso.

Aquí empieza tu siembra y acaba juntamente
—tal se entierra a un vencido al final del combate—,
donde el agua en noviembre calará tu ternura
y el ladrido de un perro tenga voz de presagio.

Quieta tu vida toda al tacto de la muerte,
que a las semillas puede y cercena los brotes,
te quedaste en capullo sin abrir, y ya nunca
sabrás el estallido floral de primavera.

[De *Arte y parte*, 1961 y *Cañada de los Ingleses*, 1961]

MAR

Bajo mi cama estáis, conchas, algas, arenas:
comienza vuestro frío donde acaban mis sábanas.
Rozaría una jábega con descolgar los brazos
y su red tendería del palo de mesana
de este lecho flotante entre ataúd y tina.
Cuando cierro los ojos se me cubren de escamas.

Cuando cierro los ojos, el viento del Estrecho
pone olor de Guinea en la ropa mojada,
pone sal en un cesto de flores y racimos
de uvas verdes y negras encima de mi almohada,
pone henchido el insomnio, y en un larguero entonces
me siento con mi sueño a ver pasar el agua.

[De *Marta & María*, 1966]

MARTA Y MARÍA

UNA cosa, amor mío, me será imprescindible
para estar reclinada a tu vera en el suelo:
que mis ojos te miren y tu gracia me llene;
que tu mirada colme mi pecho de ternura
y enajenada toda no encuentre otro motivo
de muerte que tu ausencia.

Mas qué será de mí cuando tú te me vayas.
De poco o nada sirven, fuera de tus razones,
la casa y sus quehaceres, la cocina y el huerto.
Eres todo mi ocio:
qué importa que mi hermana o los demás murmuren,
si en mi defensa sales, ya que sólo amor cuenta.

[De *Marta & María*, 1966]

44

CASA DE LOS BAÑOS

EN dañados espejos un azogue de muerte
revoca el esplendor morado de los lirios.
¿Podréis reconoceros bajo el palio sin techo
de las aguas hediondas? Ocho columnas cercan
la majestad del baño, mientras corroe el óxido
el metal de los grifos, deja su mancha roja
sobre la porcelana o se aquieta en el mármol
de una tina sarcófago a ras de las baldosas.

El reloj ha perdido sus agujas, y un tiempo
de Luchino Visconti impone su vigencia
a los sucios colchones que en el desván se apilan
y a la vida que vuelve a cruzar estas puertas.

[De *El mundo de M.V.*, 1978]

JORGE MANRIQUE

A esa luz que nos crea y nos destruye a un tiempo
bajan desde sus nidos a abrevar las palomas:
abaten en la orilla su cuello hasta las aguas
y lo yerguen, y el río que se lleva su imagen
viene a dar en la mar, en tanto que ellas vuelan,
desnudas ya de sombra, hacia sus columbarios.

[De *Compás binario*, 1979 y 1984]

45

SAN MARCOS

LA concertada cita entre desconocidos
me conduce a tu puerta: voy pisando y me oigo
y soy mi propio eco y mi propia cautela
hasta que te me abres, belleza desmedida
que abarco en mi pañuelo, alta gloria que añades
esplendor a tu piedra. Vírgine mía del Bacio,
el aliento te horada. Me postraré en tus losas
para que en su equilibrio vuelva a reconocerme.

[De *Paulina o el libro de las aguas*, 1984]

LAVADERO VIEJO

CÓNCAVAS piedras vienen a recibir mi hato
con un frescor que acepta mi mano en su recinto.
Guardo turno en el húmedo corredor subterráneo:
doy paso a las rameras y al ajuar de los muertos.
Públicamente expongo al agua mis razones.
Su corriente no sabe más pasión que el olvido.

[De *Paulina o el libro de las aguas*, 1984]

VICTORIA

ESTABA abierto el cielo y mi hijo en mis brazos,
tan indefenso y tibio y aterido y fragante
que lo sentí una obra sólo mía, victoria
de un cuerpo paso a paso ofrecido a su cuerpo.
Lo envolví con mi aliento y él tuvo el soplo tibio
en el que una paloma se sostenía en vuelo.

[De *Trances de Nuestra Señora*, 1986]

DAR ALHORRA

LA memoria del agua —no el agua— sostenía
las frágiles, antiguas columnas de alabastro
—o confundo los sitios—, y un perfume de cedro
—no el cedro— me invitaba a un patio en el que apenas
puse el pie, puse el alma —o confundo el instante—.
Mi perpetua exiliada, alma mía, de mí:
dame un quicio de apoyo, ten un nombre siquiera,
cíñame una granada su corona de layo.

[De *La llama en que arde*, 1988]

LA MARCHA

ÉRAMOS gentes hechas al don de mansedumbre
y a la vaga memoria de un camino a algún sitio.
Y nadie dio la orden. —Quién sabría su instante—.
Pero todos, a un tiempo y en silencio, dejamos
el cobijo usual, el encendido fuego que al fin se extinguiría,
las herramientas dóciles al uso por las manos,
el cereal crecido, las palabras a medio, el agua derramándose.
No hubo señal alguna. Nos pusimos en pie.
No volvimos el rostro. Emprendimos la marcha.

[De *La pared contigua*, 1989]

LA RUEDA

VERDAD es que en el mapa figuraba distante, que una rueda
de mi maleta iba gimiendo, y que en las bocacalles
su cansancio exponían con razón mis tacones.
Signos quizás de pérdida —de la esperanza al menos—
[en la ciudad oscura,
con mi mapa y más calles de rótulos vedados. Y ese joven
que no sabría decirme sino el raído azul de su bufanda
cuando busco un cobijo, de palabras siquiera.
Andar y desandar con la ciudad ajena como albergue
no mío: dádiva y negación a un torpe rodamiento
que, de improviso, si ésta es la Torre de la Pólvora,
acalla su insistencia en dar fin al viaje.

[De *El puente*, 1992]

LA NIÑA

LA niña de trenzas y flequillo, de babero y maleta a la espalda,
en la que me enseñaron a reconocerme las fotos de los míos,
hoy, frente a mí, en este cuaderno aparece.
Coincidencia feliz: de esa criatura vine
para llegar a ella tras de un largo camino.
Te lo ruego: sigue tú misma, o vuelve y disfruta de tus
[padres aún jóvenes,
la borrega y el agua en el cauce de piedra. No te preocupes:
soy una de esas señoras que se encuentran a veces de visita
[en las casas
y cuyo nombre no vuelve a recordarse.

[De *A orillas del Ems*, 1997]

LA ARDILLA

EN el hayedo, sobre la cruz de un árbol
salta una ardilla y me parecen propias
y conforme a la naturaleza sus movilidades
y afán frente a un otoño ocre y ya inminente,
su alternativa de árbol, su afán recaudatorio.
Su memoria será quien me soporte.
Quedé ayer sepultada entre las hojas.

[Inédito]

49

BIBLIOGRAFÍA

[Un asterisco indica las publicaciones básicas. No se recogen colaboraciones en periódicos y revistas.]

[«Tierra mojada», con un dibujo de Arrenberg (s.l., s.f., aunque imp. Dardo, Málaga, 1952), no venal. Se editó sin consultar a M. V. A. y ella ha incluido ocasionalmente ese texto entre sus publicaciones por mero rigor bibliográfico aunque siempre ha hecho constar su rechazo, por lo que no debe considerarse incluido en su «obra completa».]

Cuatro sonetos. 2 Cuadernos de poesía, Málaga, 1955, no venal. / 2.ª ed. id, 10, 1956, no venal. / 3.ª ed. Luz de la atención, Antequera (Málaga), 1993.

* *Arte y parte.* 188 Adonais, Madrid, 1961.

* *Cañada de los Ingleses.* 7 Cuadernos de María Cristina, Málaga, 1961. (El poema «Epitafio por una muchacha» figura grabado en un lápida del Cementerio Inglés, de Málaga.) / 2.ª ed. Halcón que se atreve, Curso Superior de Filología Española, CSIC, Málaga, 1973.

El ramo. R. León ed., Málaga, 1971, no venal. [Plaquette con un breve poema incorporado a *Arte y parte* en *La señal,* y desestimado luego.]

* *Marta & María.* R. León ed., Imp Dardo, Málaga, 1976, no venal. / 2.ª ed. Pentesilea, Madrid, 1984.

* *Los sueños.* R. León ed., Imp Dardo, Málaga, 1976, no venal.

* *El mundo de M. V.,* Ínsula, Madrid, 1978.

Venezia Serenissima. Nuevos cuadernos de poesía, 1, Málaga, 1978, no venal. [Incorporado a *El coleccionista* en *La señal.*]

Paseo de la Farola. Nuevos cuadernos de poesía, 2, Málaga, 1978, no venal. [Incorporado a *El coleccionista* en *La señal.*]

Himnario. Nuevos cuadernos de poesía, 3, Málaga, 1978, no venal. [Incorporado a *El coleccionista* en *La señal.*]

Carta de amor en Belvedere. Beatriz, Málaga, 1979.

* *El coleccionista.* Calle del Aire, 4.º, Sevilla, 1979.

Compás binario. Villa Jaraba, 1, Málaga, 1979, no venal. / 2.ª ed. completa, *vide infra.*

Debida proporción. Nuevos cuadernos de poesía, 7, Málaga, 1981, no venal. [Incorporado a *Compás binario* en *La señal.*]

Adviento. Jarazmín, 10, Málaga, 1981. [Incorporado a *Compás binario* en *La señal.*]

Porcia. Juan de Yepes, 5, Málaga, 1983. [Incorporado a *Compás binario* en *La señal.*]

* *Compás binario.* Hiperión, Madrid, 1984.

Caprichos. Adelfos, 1, Sevilla, 1983. / 2.ª ed. Papeles del alabrén, 1, Málaga, 1985, no venal. [Incorporado a *El coleccionista* en *La señal.*]

* *Ex libris.* Visor, Madrid, 1984. [Muy amplia antología.]

* *Paulina o el libro de las aguas.* Trieste, Madrid, 1984.

Glorieta de Guillén. Puerta del Mar, Diputación Provincial, Málaga, 1986. [Selección temática.]

Epitafio. Papeles de poesía, Málaga, 1985.

Trances de Nuestra Señora. Hiperión, Madrid, 1986, no venal. / 2.ª ed, completa, *vide infra.*

Música de cámara. Cuadernos de cristal, 9, Avilés (Asturias), 1986, no venal. [Breve selección.]

* *De la llama en que arde.* Visor, Madrid, 1988.

* *La pared contigua.* Hiperión, Madrid, 1989.

La hoja. Plaza de la Marina, 32, Málaga, 1990, no venal. [Breve selección.]

Nave de piedra. Tediria, Málaga, 1990, no venal. [Breve selección.]

* *Antología poética.* Biblioteca de escritoras, Castalia, Madrid, 1990, ed. José Luis García Martín.

Daralhorra. Pliegos de vez en cuando, 6, Granada, 1990. [Selección temática.]

* *La señal.* Ciudad del Paraíso, 3, Ayuntamiento, Málaga, 1990, ed. R. León. [Muy amplia selección que reestructura las publicaciones anteriores. En 1991 se imprime una fe de correcciones y variaciones.]

* *La intrusa.* Renacimiento, Sevilla, 1992.

* *El puente.* Pre-textos, Valencia-Madrid, 1992.

Ocho poemas. Encarte de «Zurgai» I, Bilbao, 1993. [Incorporados a *Trances de Nuestra Señora.*]

Los poemas de Tulia. R. León ed., Málaga, 1993, no venal. [Selección temática a la que debe agregarse ahora «La hebra», de *Las contemplaciones.*]

«Vida propia». En *Cien años de letras españolas,* Universidad de Málaga, 1996, no venal. [Breve selección dispuesta por Francisco Ruiz Noguera.]

* «Las contemplaciones». *Marginales. Nuevos textos sagrados.* Tusquets, Barcelona, 1997.

* «A orillas del Ems», anexo a *El vuelo,* Litoral (véase), Málaga-Torremolinos, 1997.

Poemas. 59 Poseía de papel, Universidad de las Islas Baleares. Palma, 1997. [Breve selección.]

* *Trances de Nuestra Señora.* Fundación Jorge Guillén, Valladolid, 1997. [Primera edición española completa.]

Cómplice y enemigo. Ediciones artesanales, Cuenca, 1997. [Breve selección impresa sobre papel hecho a mano.]

Salvador Rueda. Rueda de diversa fortuna. Escritos sobre S. R. por Manuel Alvar, Guillermo Carnero, Gerardo Diego y Carlos Edmundo de Ory, recogidos y prologados, Real Academia de San Telmo, Málaga, 1998.

Vicente Aleixandre. Antología poética. Breve selección panorámica por encargo del Centro Andaluz de las Letras, CAL, Málaga, 1998.

María Zambrano, El agua ensimismada. Prólogo y edición de la poesía de M. Z., Universidad de Málaga, 1999. / 2.ª ed, id. 2001.

Antología poética. Poesía constante, 1. Selección de los poemas y prólogo de Francisco González Pedraza y Julio César Jiménez [según se hace constar, sin duda por error de ajuste, ya que ese texto es de la profesora María Dolores Gutiérrez Navas], Ateneo de Málaga, Málaga, 2000.

Los niños. Poesía circulante, 22, con nota de Rafael Inglada, Málaga, 2000.

Isabel Bono

LORETTE WILMOT LIBRARY
NAZARETH COLLEGE

BIOGRAFÍA

Me llamo Isabel Bono, aunque mis amigos saben que es mentira. Nací en Málaga en noviembre de 1964. Mis padres estaban convencidos de que estudiaría Bellas Artes, pero yo decidí matricularme en Económicas. No soy economista. Escribo desde diciembre de 1983. No soy filóloga. No he ganado ningún premio ni he traducido a ningún autor. No dirijo ninguna revista literaria. Escribiendo no pretendo fijar, limpiar ni dar esplendor a nada. Preferiría pintar. Preferiría no escribir. Pero ni siquiera voy a luchar contra eso. Creo que escribo porque no sé defenderme.

POÉTICA (DONDE DIJE DIGO)

Siempre se me cumplen los deseos, ya sean velas de cumpleaños, uvas de San Silvestre o estrellas fugaces. Creo en la suerte, no podría ser de otro modo. Eso es lo primero que se me ocurre. Lo segundo, que Schubert —quizá fue otro—, decía que si dejaba de tocar tres días lo notaba el público, y si dejaba de tocar uno lo notaba él. No era Schubert, seguro. Pero tendría que llamar a mi padre para que la cita fuese correcta, y no son horas.

Con estas dos premisas me siento cada mañana a escribir. Respiro hondo, y si de un piano se tratase —el de Schubert, por darle unidad al texto—, cierro los ojos y comienzo a aporrear (blancas + negras = grises) las teclas del ordenador.

Sé que vienen porque me aprietan bajo las cejas. Doy dos carreras por la casa buscando las gafas Alain Mikli, París. Caballos galopándome el corazón. La pantalla en blanco pidiéndome respuestas. Respuestas físicas. Tengo las palabras. Tengo las teclas y los diez dedos puestos. Me falta el orden, el hilo.

Siempre me falta hilo, me distraigo, y después ni yo comprendo lo que he escrito, de dónde ha salido. Y pongo música.

Yo no entiendo a Scriabin ni a Bartok ni a Barber ni a Satie, y si me apuran, ni a Bach. Kandinski dijo que la música, tiene acceso directo al alma. Que inmediatamente encuentra en ella resonancia porque el hombre lleva la música en sí mismo. Estoy de acuerdo. Con los colores tanto de lo mismo. Con cinco años, me pidieron en el colegio que dibujara «La abundancia». Pinté un cuadrado naranja. Me suspendieron.

Pero parece que a las palabras les pedimos más, les pedimos todo. Queremos que las palabras nos muestren el mapa del tesoro de todos esos huecos que nos dejan las cosas que vemos, amamos y no entendemos.

Nací en noviembre del 64, escribo desde diciembre del 83 y hace tiempo que a las palabras sólo les pido placer. Con esto debería bastar.

No sé bien si una poética es una carta de navegación o un aviso a navegantes. Si una poética es decir cómo y de qué escribe uno mismo, las poéticas no son necesarias. Los poemas deberían defenderse por sí solos. Además, ¿quién es capaz de ser coherente con su propia poética?

Sí puedo decir por qué escribo: escribo para no olvidar, para acallar el ruido de fondo. No busco perdurar ni hallar respuestas. Tampoco me busco a mí misma.

La verdad es que querría no escribir —me molesta escribir—, pero no puedo evitarlo: si no escribo me pudro.

Podría resumir todo esto en palabras de Samuel Beckett: «Prefiero la expresión de que no hay nada que expresar, nada con qué expresarlo, no poder expresarlo, no querer expresarlo, junto con la obligación de expresarlo.»

He despertado a mi padre. Donde dije Schubert digo Liszt.

Cuestionario

1.—¿Cómo se engendra tu poema? ¿Dónde? ¿Cuándo? ¿Por qué?

Parto de la base de que nada es de nadie, que todo lo susceptible a ser escrito está ahí para que cada cual lo ponga en orden si quiere.

Poemas veo, huelo, pruebo, oigo y toco en todas partes y a todas horas. Todo está ahí esperándome, para que yo lo sienta y lo escriba.

¿Que por qué tengo que escribirlo? Debe ser una obsesión como otra cualquiera, pero desde que tengo uso de razón siento la necesidad imperiosa de contar por escrito todo aquello que me llama la atención. ¿Desde cuándo? Con ocho años me regalaron un diario. Empecé contando lo que hacía cada día, pero mi vida no era suficiente así que me inventaba historias y las narraba en primera persona como si me hubiesen pasado de verdad.

¿Por qué? No sé de dónde viene esta obsesión, o como se le quiera llamar, porque yo no creo en la comunicación, creo en los malentendidos. Construimos sobre malentendidos.

Me imagino que escribo poemas porque la vida, mi vida, me sigue pareciendo insuficiente, porque no sé cómo (ni quiero saberlo) acallar el ruido de fondo y, sobre todo, porque me gusta.

2.—¿Crees que el ambiente influye en el poeta?

Hagamos historia. Mi abuelo quería ser contable y su padre lo obligó a ser violinista. Mi padre quería ser pintor y su padre lo obligó a ser contable. Yo nunca quise ser nada. Me matriculé en económicas y acabé escribiendo poemas en el bar de la facultad.

¿Cuánto de herencia, genética, cuánto de ambiente? Yo voto por la genética. Pero no me olvido de que el ambiente lo creamos nosotros porque traemos unos genes específicos que nos hacen crear un ambiente..., etc. Si mi padre no hubiera tenido en su cadena de ADN algo que le dijera que leyera cada noche, su cuarto no hubiera, estado lleno de libros y si no hubiese sido así, quizá mi gen lector se hubiera, despistado.

Yo me siento muy afortunada por haber heredado tanto el gen de la curiosidad como los libros que ahora intentan saciarla.

También estoy segura de que si hubiera nacido en Rusia, por ejemplo, habría escrito más y mejor. O no hubiera escrito en absoluto y ahora sería ajedrecista. El ambiente influye, el clima más. Ya lo dijo Camus.

3.—¿Cuáles son los temas que te inspiran?

Yo soy mi propio tema. No me gusta hablar de lo que no conozco. Eso, unido a que soy absolutamente egocéntrica (risas enlatadas, por favor), le dan a mis poemas un tono absolutamente cerrado y, la mayor parte de las veces, frío. Por eso siempre me sorprende que alguien me diga, que le gusta lo que escribo. Nunca entiendo cómo algo que yo haya escrito puede interesarle a alguien.

4.—¿Cuándo empiezas a sentirte poeta?

Jamás me he sentido poeta.

Poeta, se usa demasiado como sustantivo cuando creo que debería, utilizarse como adjetivo. Es igual que cuando a un extranjero le explicamos la diferencia entre ser y estar. «Soy cansado», dicen. Yo puedo decir «Estoy poeta», pero nunca me atrevería a decir «Soy poeta». Poeta es algo circunstancial para mí. Nunca me reconoceré poeta. Nunca me reconoceré escritora. Escribo poemas. Escribo. Sólo eso.

5.—Si tuvieras que clasificar tu poesía, ¿dentro de qué movimiento encajaría?

No existe porque nadie lo ha acuñado aún, pero lo que hago encaja de maravilla en un movimiento que se llamara «Poesía de la interferencia».

Para mí las palabras, los poemas completos, están ahí, en el «ambiente» podría decirse, esperando a que alguien los cace. Se trata, como con las ondas de radio, de tener la sensibilidad en la frecuencia adecuada para cazarlos.

La gran mayoría de mis poemas no tienen título y van escritos en minúsculas. No es arbitrario. Creo que mis poemas son fragmentos de un poema, matriz que está ahí: yo sólo cazo fragmentos de ese poema madre. Mis poemas son interferencias de un discurso que no sé de dónde viene ni qué lo genera.

6.—¿Piensas que a la mujer poeta se le ha otorgado en el mundo literario el puesto que merece?

Ni en el mundo literario ni en ningún otro mundo. ¿Por qué no existe el «Día del hombre trabajador»? Porque es aceptado por todos (y todas) que el hombre trabaje. Es un ejemplo entre un millón.

Si un hombre escribe poesía se dice que tiene vocación, si una mujer escribe se le llama afición. Ahí radica el problema.

7.—¿Te consideras feminista en tus temas o en tu actitud?

En mi actitud sí, en mis temas no.

Hay un problema fundamental y es que feminismo se usa como antónimo de machismo. Machismo: los hombres deben tener más derechos que las mujeres. Feminismo: los hombres y las mujeres tienen los mismos derechos.

Si feminismo significara que las mujeres deben tener más derechos que los hombres no sería feminista.

Supongo que nunca he tocado el tema a la hora de escribir porque nunca he tenido que ejercer de feminista. Siempre me he tomado los derechos que me corresponden sin pedir permiso. Al no haber conflicto, no hay tema.

8.—¿Crees que la escritura poética tiene género?

Sí. Y la escritura no poética también. Hay libros de marcada sensibilidad femenina. Mujeres y hombres no sentimos igual por mucho que nos lo propongamos.

9.—¿Te sientes completamente libre a la hora de escribir aunque seas mujer?

Completamente libre.

Aquí ser hombre o mujer no creo que influya en absoluto. Escribir es un acto de soledad. Quien no se sienta libre a la hora de escribir, mejor que no escriba.

Otra cosa distinta es si me siento libre a la hora de publicar. En poesía, sí, en prosa no. Pero no por el hecho de ser mujer sino por límites que yo misma me pongo. Hay historias que me gustaría contar y no cuento porque sé que podrían molestar a mi familia, por ejemplo.

10.—¿Qué te gustaría lograr como escritora?

Nada.

SELECCIÓN DE POEMAS

Para un cuerpo
la muerte
para dos
la violencia

pactos
terreno tan fértil

[De *Entre caimanes*]

después de la noche
soy la mitad del sueño

todo lo que puedo ofrecer

el miedo
después de la noche

[De *Entre caimanes*]

estábamos entre las cosas

como un dolor
que dura toda la vida

[De *Ni héroe ni insecto*, 2001]

alcohol no hay
una manzana no es mucho

hoy viviré de espaldas

cualquiera podrá dispararme

[De *Ni héroe ni insecto*, 2001]

Con frecuencia el azar
nos conduce a paisajes desolados

(por muchas precauciones que tome
siempre habrá un día en que
aparezcas disfrazado de viento)

por suerte
el azar es un muro de aire
imposible de esquivar

[De *Hombre lento*, 1996]

Ir al encuentro

búsqueda y encuentro
un simple juego

utopías

mi amor
es una mano paralizada

[De *Hombre lento*, 1996]

No detengas ahora la danza
el vértigo
los girasoles de tu vientre

danza

deja que el viento
despeine los tigres de tu razón
con sus dedos fugaces

[De *Hombre lento*, 1996]

Si vieras cómo el vértigo
ensancha las calles a mi paso
y las noches caducan

si supieras cómo navego
de espaldas al sueño
desde donde todos parten
para no volver
sin nada que dar

si vieras cómo tiemblo

[De *Hombre lento*, 1996]

alguien con tu sonrisa
con tu mismo gesto
en otro país
otra ciudad
en la playa más remota

[De *Hombre lento*, 1996]

Cada vez menos palabra
para decir lo mismo
para no volver al punto de partida
al silencio del primer naufragio

[De *Hombre lento*, 1996]

el frío
sigue al pie de la letra
mis preguntas

(detrás de aquellos árboles
la luz

repitiendo tus gestos
tus palabras)

y hay más

[De *Hombre lento*, 1996]

no hay motivos
para pensar que huyes
tan rápido como el viento del estrecho
tan lento como los barcos del estrecho

[De *Hombre lento*, 1996]

el último sueño
pendía de un hilo de luz
se batía con el frío
con el viento
que ahora mueve las ramas de los árboles
nadaba por los huecos del invierno
como si fuera un pez
abriendo brechas
sin temer al miedo

[De *Hombre lento*, 1996]

después del viaje
tus ojos eran las noticias

mi corazón
un dátil sin hueso

[De *Hombre lento*, 1996]

dame un respiro
tiempo de barbecho
para ser tierra fértil

hombre lento
tus besos son semillas

[De *Hombre lento*, 1996]

nos quieren salvar
de las vías muertas
de la fiebre

si la fiebre fuera sólo pájaros negros
en el techo de un vagón de mercancías
levantando el vuelo
como si cada pájaro fuese una gota de agua
y el sol evaporara pájaros
no gotas
nubes de pájaros
descargarían sobre nuestras cabezas
otro tipo de lluvia

[De *El hombre del alambre*]

tener en la cabeza qué
de qué modo
para sacar después edificios con sombras
tráfico y transeúntes

llegará el frío a la velocidad de la luz
—dijo

lo que me falta ahora
no es compañía ni silencio
es la voz que dice
ve y arriesga tu fortuna
camina sobre el agua
olvídate de sus pies de plomo
del tiempo perdido
y de este agosto sin tormentas

pero cuando él me mira
todo pasa

la falsa fiebre
los falsos desmayos
las falsas despedidas

es la primera vez que miro hacia abajo
y no llueve
—le oí decir

[De *El hombre del alambre*]

aquí tienes mis pies desnudos,
dispuestos
abrázalos, devuélveles la vida
nadie como tú
conoce el camino de regreso

[De *Días impares*]

de nada me sirve lo que sé:
la lluvia no es más que agua
la luna no es más que una piedra mal iluminada
soy un cuerpo desnudo que no quiere morir

[De *Días impares*]

TENÍA QUE PASAR

los sueños y el azar de los sueños
detienen al viajero

donde siempre

su camiseta roja
debería hacerlo más visible

pasan los vagones cargados
de semillas

sólo dos preguntas
sin mirarle a los ojos

antes la muerte: responde

[De *Señales de vida*, 1999]

COMENTARIOS

[El estado de Isabel Bono desde una ventana frente a los plátanos]
por Joan Masip

Esto no tiene nada que ver contigo. Ya lo sé. Nada conmigo. Nada con nada. Yo no sé de arte, no tengo ciencia. No sé quien eres. Ni siquiera tu nombre más cierto. Son sólo palabras. De los que escriben por mí sobre los que escriben por ti. (Entiéndase: «por mí» significa «en mi lugar por ti» significa «con tus manos». Yo digo mi voz y tu voz. Las voces en ti, las voces en mí.) Tú nunca has querido escribir. No mientas. Todo es parte del mismo plan: Nunca buscarlo, nunca evitarlo, ya sabes: Nunca evitar, no forcejeo, no arañazo, pelea escolar. Cuando vas, es a por todo, ya sabes: la bolsa o la vida, la sangre o tus venas. No contra nada no contra nadie.

No conformarse con menos, no desear más que hambre. No perseguir: sólo dejarse. Permitir, nunca impedir. No resistir, no defender. Ser todo, vivir en todo. Ser dolor cuando dolor. Ser como un gato, ser una piedra, ser una voz entre las cosas. Sin fusiles ni trincheras. No buscar: ofrecerse. Nunca suicida: temeraria. Que cualquier fusil pueda alcanzarte. Cargar las pistolas, disponer las dianas, ordenar que disparen, cada vez una muerte. De nuevo ofrecerse.

Agente doble al servicio de la voz y el silencio. No dominar las palabras no dominar los conceptos. Atender al dictado, atender al silencio. Como animales de otro mundo. Poblada de voces y fuego.

Deshazte del mapa, no sirve de nada, ya sabes: ningún propósito ninguna razón ningún objetivo.

Esperar el fin del mundo con una cerveza, con Doraemon y los Cure. No saber adonde ir y aquí sin embargo. Adonde nos lleven las piernas. Sin más dolor que el dolor de lo cierto sin más valor que ser y haber sido. Brazos piernas cielo.

Mirar vale más que todo lo visto. Ser más que todo lo sido. Ser todavía, ser cada vez, quiero decir, ser el momento, ser el calor de media tarde, la canción de Rudy Trouve, la luz, de los rincones. Contar las balas, contar los silencios.

Como el que quiso callar y no pudo, tuvo que hablar y hablar otra vez. Guerrillera de hielo sin propósito alguno. Campo de batalla, tierra quemada, tierra perdida.

Al final quedará lo que dimos: Todo contigo. Palabras que vinieron de dónde y a qué. A señalar el silencio. A protegerlo. La tiranía del ruido.

Los fusiles no tienen noción del silencio.

Pese a todo prescindible, lo sabes. Tus poemas como todo. Como el fuego como Kafka como Miller como Dosto como Hierro Fante Maradona. Como apenas la Duras y apenas las tormentas, como el brillo de la panza de un avión. Sólo puertas que se abren puertas que se cierran. Como decir: yo nunca te habría conocido de no ser por los ramones. Como decir: calcula tú el drama.

Caer cuando caída, euforia cuando euforia. La belleza no importa, la seguridad importa. Importa la exactitud. Vivir la cara vivir la espalda. No doble vida porque no más que dos brazos, no más que dos piernas, sólo por eso. No más allá, no eternidad, mejor que eternidad sucesión de vidas efímeras.

Mejor que una vida feliz todas las vidas posibles mejor que una frase feliz todas las frases posibles.

Mejor dibujar mejor escuchar mejor ser guitarra de siniestro total. Mejor cualquier otra cosa donde ser otra mirada. Otra visión. Nunca feliz de lo hecho feliz haciendo feliz la posibilidad de hacer.

Lo único que importa es lo bien que atraviesas el fuego, lo único que importa es que en el fondo qué más da. Tú ya lo sabes, cuéntaselo. Lo que quiero decir. Lo que lo haría tan fácil. *Le chant des partisans.*

Diría Beckett y no Whitman, espacio no edificio. Diría pulsión no estrategia, punzada no rencor, caos nunca plan, proceso no final, caminar no llega llegar, anticipo no recuerdo. Diría filo y no red de trapecista, paseo y no turismo, diría posibilidad y no certeza. Diría pasión en abstracto. Pasión en concreto. Diría que mejor cuanto más breve. Diría certera, inteligente, concreta. Más piedra afilada que piedra tallada. Natural como el rayo.

Natural born killer.

Cualquier poema como fragmento de todo, cualquier mañana volver a por más. Ya sabes: el rock no se acaba.

Y si se acaba da igual.

Presentación por Javier La Beira Strani para mi lectura de poemas en el Círculos de Bellas Artes de Madrid en 1995

Si tratase de evocar la primera imagen literaria que conservo de Isabel Bono, la memoria me trasladaría hasta un sábado soleado de 1987, cuando el suplemento cultural del diario *Sur* nos sorprendió con una antología de la joven poesía malagueña encartada entre sus páginas. «No nos anima otro interés —escribía uno de los padres de la idea— que el de suministrar a los lectores una necesaria información sobre la aventura poética de quince malvados mancebos decididos a hacer con la poesía su arriesgado carné de identidad.» Lo importante, en efecto, era que allí asomaban quince autores jóvenes, quince nombres con sus fotografías y sus poéticas al hombro, y con algún que otro poema a modo de documento credencial.

La verdad es que no ha llovido mucho desde entonces, pero sí lo necesario para que cada uno de los quince de aquel pasado efímero de 1987, cuyas artísticas caricaturas relucían a bordo de un buque de rumbo incierto, haya navegado su propio destino lírico. Tiempo suficiente, en suma, para que todos hayan mostrado ya sus verdaderas cartas en este juego de manos, y a veces también de villanos, que es la poesía. Si ahora nos paramos a enfocar lo que ha sido de aquellos nombres observamos que algunos decidieron retirarse inmediatamente de la partida, y de ellos nunca más se supo; que otros optaron por jugar de farol y, finalmente, que hay también quien ha continuado desde entonces dejándose la piel y el corazón a tiras sobre el tapete blanco de la escritura.

Resguardada y a salvo de nuestras miradas por la gracia de unas gafas oscuras, abría las páginas de aquella antología el rostro y la palabra de una niña que proclamaba con atrevimiento «La verdad es que no me considero poeta.» Lo sospechoso era que, acompañando a esa insólita confesión, figuraba junto a ella una larga lista de libros ya escritos o en proceso de escritura, desconocidos poemarios cuyos títulos cautivaban por sí solos: *Vedegambre, Donde el azul limita, Porque en Tánger se dan dos, Vencer a Tauro*. Era la bibliografía imposible, por extensa y por inédita, de una poeta más que posible.

De aquella bibliografía, al igual que de las prendas que la arropaban en aquella instantánea blanca y negra, tampoco nunca más se supo. Sin embargo, la poeta que confesaba que no era poeta comenzaría entonces a publicar algunas breves entrega s que llevaban otros títulos no menos sugestivos: *Mensajes, El intruso*.

Por medio de esas primeras entregas y de otras posteriormente en revistas y periódicos, hemos ido persiguiendo desde 1987 el hilo literario hasta corroborar la sospecha de que Isabel Bono no juega nunca con naipes marcados: sus cartas líricas son siempre de corazones. La pasión amorosa es el origen y el destino de su expresión poética, un amor que gira alrededor de la vida como un carrusel a rayas, y al que ella se aferra con la tenacidad que despiertan las empresas imposibles. Y así sus versos, que han ido ganando en concentración e intensidad, son siempre el testimonio instantáneo de ese carrusel.

La moraleja de esta historia es que la presunta poeta de aquella fotografía ha conservado lo esencial: la actitud literaria de dejarse el corazón y la piel a tiras sobre el tapete blanco de la escritura. Ha llovido bien poco desde aquel soleado sábado de 1987, pero Isabel Bono ha tenido tiempo suficiente para hacer de la poesía su verdadero carné de identidad.

Como escribe en dos versos estremecedores:

«¿quién no deseó alguna vez ser dios
y disponer de viento y de la lluvia?»

Y ya que ella ha logrado ser la dama de corazones de la poesía malagueña, es justo que disponga también esta noche, a partir de ahora mismo, de nuestra mejor atención.

Comentario a mi libro *Wellcome 2 Pshyco* posteado en un grupo de noticias de literatura en internet el día 22 de enero de 1999 [Anónimo]

Tus poemas son excepcionales. Cuando digo que son excepcionales no me refiero a que son poemas muy buenos de alguien que posea aquí, me refiero a que en la infinitud cósmica que nos rodea —del átomo a las estrellas gigantes pasando por las pelotas de goma para evitar el estrés— lo que escribes sobresale. Fíjate que incluso ignoro si te das cuenta de los ruidos tan pequeños que produces y sospecho que el esquizofrénico en ti, como en todos los escritores, no habla: escribe.

Te perseguirán mujeres y, sobre todo, hombres por hipermercados parques museos y calles con las tuberías levantadas, te perseguirán hombres altos, gordos, rechonchos, rubios, hombres más guapos que yo, incluso, y ninguno de ellos se sorprenderá la mitad que yo con tus poemas.

Sentarse y mirarte perder el tiempo: la mejor forma de no compartir la eternidad con nadie porque el resto sería demasiado fácil.

BIBLIOGRAFÍA

Publicaciones
Col. Cuadernos de M.ª Eugenia. *Mensajes*. Ángel Cafarenna Editor. núm. 22. Málaga, 1988.
Col. Plaza de la marina. *El intruso*. Rafael Inglada Editor. núm. 14. Málaga, 1989.
Col. Hojas de Poe. *Cuatro poemas*. Málaga, 1993.
Cuaderno Centro Cultural Generación del 27. núm. 180 Málaga, 1994.
Ed. La factoría valenciana. *Contra todo pronóstico*. núm. 19. Valencia, 1996.

Col. Llama de amor viva. *Hombre lento.* Rafael Inglada Editor. núm. 19. Málaga, 1996.
Ediciones Media vaca. *Cahier 6/105.* Valencia, 1997.
Editorial El gato gris. *Señales de vida.* Valladolid, 1999.
Ediçioes Tema. *Ni héroe ni insecto.* Lisboa, 2001.
Col. Monosabio Narrativa. *Ciego Montero, ¿dónde te metes?* Ayuntamiento de Málaga, 2002.
Editorial Celya. *Los días felices.* Salamanca, 2002.

Antologías
Sur Cultural. «La joven poesía malagueña». Málaga, 14 abril 1987.
Revista *Ficciones,* núm. 2. Granada, 1997.
Ed. Ópera Prima. *Aldea Poética.* Madrid, 2000.
Cine de papel. Valencia, 2000.
Revista *Comentario.* Lisboa, 2001.

Ha colaborado en periódicos y revistas, con mayor placer y devoción en *Amén* (Madrid), *La corná* (Málaga), *Monográfico* (Burgos), *Nosotras* (Bizkaia) y en libro *Cine de Papel* (Valencia). Le han concedido el «Primer premio internacional de poesía homenaje a León Felipe» por el libro *Los días felices* que ha sido publicado por la editorial Celya de Salamanca.

María Eloy García

BIOGRAFÍA

María Eloy García. Poeta española. Nació en Málaga, España, en 1972. Licenciada en Geografía e Historia. Ha publicado poemas en algunas plaquettes (cuadernillo número 13 de la serie Hojas de Poe, Málaga,1996 y Diseños experimentales, número 2 de la colección Monosabio, Málaga, 1997) y en las revistas *La Corná, Sonus 13* y *Litoral*. Ha sido incluida en las antologías *Feroces,* DVD, Barcelona, 1998 y *Frasco de anfetas,* Córdoba, 1998. Obtuvo el primer premio de poesía Ateneo-Universidad de Málaga en 1998 y el premio Carmen Conde 2001 de la Editorial Torremozas de Madrid, además de algunas menciones honoríficas en otros concursos poéticos.

POÉTICA

Mi poema es un hipnótico que sólo es útil en el tratamiento del insomnio a corto plazo en pacientes que tienen dificultad de conciliar el sueño ya que, al presentar una semivida corta, no prolonga la duración ni reduce el número de despertares del sueño. Por el momento no ha presentado ventajas significativas respecto a los otros hipnóticos tanto «benzodiazepínicos» como «no benzodiazepínicos», siendo sólo una nueva alternativa.

Entre sus reacciones adversas se citan: dolor de cabeza, debilidad, sedación, mareos, náuseas, mialgia y dolor abdominal, pudiendo aparecer amnesia anterógrada.

CUESTIONARIO

1.—¿Cómo se engendra tu poema? ¿Dónde? ¿Cuándo? ¿Por qué?
En cualquier parte sin importar dónde ni cuándo, el por qué lo desconozco.

2.—¿Crees que el ambiente influye en el poeta?
Todo influye en el poeta, todo es poetizable.

3.—¿Cuáles son los temas que te inspiran?

Cualquiera menos los tópicos, ya se sabe: araucarias, besos, barras de bar, autopistas de California, rododendros, sexodrogayrockandroll, loores a Garcilaso y otras cuestiones estereotipadas y cansadas hasta la saciedad.

4.—¿Cuándo empiezas a sentirte poeta?

Lo ignoro.

5.—Si tuvieras que clasificar tu poesía, ¿dentro de qué movimiento encajaría?

De ninguno en realidad, me gusta ir por libre.

6.—¿Piensas que a la mujer poeta se la ha otorgado en el mundo literario el puesto que merece?

Depende de qué mujer se hable, algunas nunca han tenido el lugar que se merecían, otras es un alivio que no lo hayan tenido nunca.

7.—¿Te consideras feminista en tus temas o en tu actitud?

No.

8.—¿Crees que la escritura poética tiene género?

En absoluto, la poesía sólo tiene número.

9.—¿Te sientes completamente libre en el momento de escribir aunque seas mujer?

Nunca soy libre y mucho menos al escribir.

10.—¿Qué te gustaría lograr como escritora?

Lo que todo el mundo que se dedica a algo durante toda su vida de manera obsesiva, o todo o nada.

SELECCIÓN DE POEMAS

ODA A UNA GENERACIÓN DE SOLTERAS

de tus fatuas liturgias de oenegé
qué solitario discurso te queda/
hermosos tus taichís y qué enérgicos
tus pensamientos de último derecho
genuinamente humanos/
y al fin tu última cena pandesoja
y mentapoleo que es tu sangre derramada
feliz tu evangélica despensa
y tu aséptica cocina
como un polvo democrático/
arriba pues la última demagogia
el rojo profiláctico de tus besos
arriba la aromaterapia y el quiromasaje
la diosa homeopatía/
orgulloso el que al aroma de tus velas
y al sonido de tus mantras
no presienta la estudiada disidencia
de tu culo intacto

EN NÚMEROS

el tiempo invertido en la esquina
resultado de esperarte tiene tan sólo una variable
que toma valores desde el autobús
hasta las dolencias de tu madre
y yo cuya única incógnita —digo—
no estoy nunca a punto de despejar
resulto ser algún número periódico
una espera pura de 3,666666666666666...
más tarde incluso yo periódica mixta
3,48151515151515151515151515151515...
resuelvo entonces cuando apareces tú
que acaso quebrada pudiera yo ser
11/3 de esperarte
11/3 de pura y exacta espera

[De *Cuadernillo de la serie Máquina y Poesía*, 2000]

LAS AUTORIDADES SIEMPRE ADVIERTEN

Ella dispersa por la autovía
aparece sin sus cosas/
sus cosas han tomado
la forma inevitable de la gravitación
y del efecto coriolis
(que alguien se arranque media camisa
para hacerle un torniquete de película)
no está completamente muerta
lo que le da un aspecto fantástico al suceso/
sus lentes progresivas
están desmenuzadas por la carretera progresivamente/
el impacto resulta un anuncio de colonia
no está completamente muerta
y un viejo que lo sabe la mueve desfavorablemente/
a no ser por la entrada absurda
de los dos ateeses
el happening hubiera sido perfecto

[De *Cuadernillo de la serie Máquina y Poesía*, 2000]

CANCIÓN DE MIS MOVIMIENTOS OROGÉNICOS

Yo que sería el final en el atlántico
te encontrara para elevarme
paroxismo alpino
mis sierras de granito
harían cuerpo de enormes corredores
con ciclos y ciclos sedimentarios
depresiones como ahora transversales
me surcaran/ levemente y tiernas erosiones
delimitaran la grandeza de mis fallas
pudiera yo ser cordillera
y alargarme en mi verdad inmensa
de placa tectónica
saber de tantos otros himalaya
pero he aquí que soy
sin una triste orogenia sin un libre plegamiento
la certidumbre entera del llano
la alegoría más simple de la raya
la apariencia vista de lo horizontal
la única verdad de la línea

[De *Cuadernillo de la serie Máquina y Poesía*, 2000]

DE-CADENCIA

Qué hacía la tierna suicida
pactando con los andamios
tomando más aire del que debe
antes de su muerte
decadencia de un viento huracanado
levantándole la falda
las bragas de la suicida
tienen siglos de azoteas
d'annuncio hubiera cantado aquí
loor a las bragas descendiendo
por el pésimo paramento librando ventanas
volando en un íntimo parapente
la suicida está en la cuerda de la ropa
secándose de sí misma
también se lamenta de todo
abajo sólo nos importan sus bragas
qué concienzudo es el universo
cuando ella se arrojó
yo quise levantarle la falda
a la muerte

[De *Cuadernillo de la serie Máquina y Poesía*, 2000]

COMPAÑÍA ANÓNIMA

Como un bosque intervenido por compañía americana
se me agotan los recursos
y no sé sustentar flora ni fauna
me completo pues la pirámide y me depredo
intento terminar el proceso económico
de mi sector servicios
y resulto la misma realidad empobrecida de mí misma
oh cuánto mejor no resultaría invertir en el extranjero
entonces te elijo a ti
pero tú prefieres la inversión segura de lo real
por la letra a plazos de lo imposible

[De *Cuadernillo de la serie Máquina y Poesía*, 2000]

ALTA METAFÍSICA DEL TRAPO

he visto entonces el signo
de toda la ropa tendida
su coyuntura modificada
una manga al borde oh pablo gargallo
como un marat sin espacio
inflado por el aire
un suéter opina que hacia allí
hacia nada la nada del suéter
camisas muestran su detrás y su debajo
honestamente advierten todo su poliéster
la vida es una sencillez de pinzas
un simple juego de poleas
por el que la funda destrozada
de un colchón se desliza/
la imposible cabeza bocabajo de una americana
no se relaciona
autonomía de unas bragas confirman
el pobre estado de su infeliz autoestima
hace un momento suicidio de pinzas
y calcetín izquierdo/
la muerte puede ser como la vecina
del primero que acumula calcetines

y el más allá cuando esos calcetines
se los ponen sus hijos
entonces la vida surge de una lavadora
motor primero y la arruga es la orogenia
y el móvil de la vida

la plancha es dios cuyo libro sagrado
es el de instrucciones
la iglesia es el detergente quitamanchas
y la mancha la llevamos todos —defecto de fábrica—
porque hay que vender detergentes
el paso del tiempo está programado
hasta la feliz y centrifugante catarsis
y por fin cualquier desdichado anorak
cualquier sábana desafortunada
se desprende de aquel hilo
se desentiende de aquellas frágiles poleas
y es claro que aquella vieja última
y también primera porque vive en el primero
espera en el ojo del patio que todo lo ve
para abrirnos las puertas de su casa infinita

[De *Cuadernillo de la serie Máquina y Poesía*, 2000]

LA MISS

toda ella era la historia de la estética
radiante y moderna
a menudo se mostraba atravesada por el verbo
como una serpiente moviendo su cascabel
al ritmo del poderoso veneno
teresa transverberada y hortera
fluye por el érebo de la calle
con piernas que son tierra
para un torso que es un mundo
su sostén neoplatónico
ordena a la forma surgir sobre la materia
en virtud de la realidad superior
que son sus tetas absolutas
sus tetas a priori sus tetas inmutables
culo inteligible sólo para agustines de hipona
de tan apolínea resultas dionisíaca
concepto vivo para pantalla gigante
te vistes de platón de plotino de plaitex
para el encendido virtual de tu cuerpo matemático
porque la realidad no está pactada en el sueño
te haces mordiéndote y tan figurativa te ves
que podrías condenarnos si quisieras
a la abstracción eterna

[De *Cuadernillo de la serie Máquina y Poesía*, 2000]

DECLARACIÓN DE PERSONAL FÍSICA

el contribuyente uno
sin pensión compensatoria
ni anualidad por alimento
declara aquí el valor catastral
de su inmueble metafísico
su ejercicio fiscal oh dolor
ya no tiene ventanas
tan existencial es su prisa
que aquí le ves a tus pies
divina entidad pagadora
sin cónyuge computable
con la única verdad de lo impuesto
lo que declara es la catástrofe
porque sabe que la muerte
jamás devuelve lo que computa

LA GRAN PROSTITUTA

«Y vi cómo la mujer se emborrachaba con la
sangre de los creyentes y de los mártires por
amor de Jesús» (Apocalipsis de San Juan, cap.
16, ver. 6.°)

ella aplastando a las serpientes
toda de terracota diosa de las palomas
buscando novio a su desnudo
diosa de los áticos de la caída al vacío
de los cuatro firmamentos gnósticos
sucursal de lo divino
compulsada por la bestia
lanzada de su babilonia
la gran puta abierta de par en par
como un mar rojo ante el bastón de un moisés que la chulea
cinco mil por la luz
diez mil y un completo de verdad y conocimiento
ella torcida por la muerte
bocabajo en la cruz latina de los brazos abiertos
rescatada por evans ella al descubierto
en la verdad de su imperio
conquistando babilonia
caída al suelo subterránea
con número atómico potasio epicentro girando reptando
comiéndose su omega trágica
la gran drag de la noche de los tiempos
la primera puta y también la última

LA MARIHERMENÉUTICA

¿Superará la ciencia
a propósito de mi rotundo frigorífico
la abstracción metódica?
¿se lleva el hervor en su columna imposible
y a través de esta campana
la última verdad del estofado?
qué perfecta es la naturaleza
que inventó la madera
para el teflón de la cacerola
qué mágica teofanía eleva levaduras
somete harinas mantiene intactos los moldes
revienta los vidrios
ah huevo bello exarconte de mi trágica tortilla
ah de tu metamorfosis
que en el horno sube
en la sartén se expande
y en el agua se concentra
ah del inconstante suflé como mi trascendencia finita
y así de repente
la triste convención
de mi horizonte de gres.

COMENTARIOS

Cita

Artículo aparecido en *El País* de Andalucía, miércoles 11 de marzo de 1998, su autora es Ana L. Escudero y el título «Poesía como hacha de guerra».

«Y es que aunque María Eloy-García asegure que ser joven y reivindicativa es una mala combinación, y que cuando de verdad tiene mérito la protesta es a partir de los 50 años, le va a ser difícil desprenderse del hacha de guerra que ha desenterrado.»

BIBLIOGRAFÍA

Premios
Mención especial en el V Concurso de Poemas «Ciudad de Zaragoza», 1997.
Primer primer premio en «Ateneo-Universidad de Málaga», 1998.
Mención especial en la muestra de «Jóvenes Creadores», 1999 en Málaga.
Premio en el concurso Carmen Conde, 2001, Madrid.

Publicaciones
Antología de poesía, «Poemas de Zaragoza», 1997.
La colección Monosabio. *Diseños experimentales*, núm. 2. Málaga, 1997.
Antología Feroces. Radicales, Marginales, y Heterodoxos en la Última Poesía Española, ed. DVD, Barcelona, 1998.
Antología de poesía española en Portugal, en edición bilingüe Poesía Española, Años 90, editorial Relógio D´Água, Lisboa, 2000.
Cuadernillo de la serie Máquina y Poesía editado por la Generación del 27 de la Diputación de Málaga, 2000.
Metafísica del Trapo, ed. Torremozas, Madrid, 2001.
Mujeres de carne y verso. Antología de poesía femenina en lengua española s. XX, ed. La esfera literaria, Madrid, 2001.
Poetisas Españolas. Antología General, Ed. Torremozas. Madrid 2002.

Congresos
III Encuentro sobre el paisaje en la poesía actual española (Poesía del nuevo milenio) en Pozoblanco, Córdoba, 1999.

Poesía española en Moguer (del Modernismo a la Posmodernidad), 1999.
IV Encuentro de poetisas. «El deseo de la palabra». Málaga, 2000.
«Poesía Última». Fundación Rafael Alberti, El Puerto de Santa María, 2002.
VI Encuentro de poetisas. Granada, 2002.

Teresa García Galán

Biografía

Nací en Málaga en 1962, en una de las pocas casas aceptables de un barrio muy popular de la ciudad. Tuve una infancia muy vigilada y con mucho espacio, que me hizo albergar demasiadas esperanzas respecto de la realidad. Comenzó *mi educación* en un colegio privado, de religiosas, cuyo refinamiento aún consistía en avisarnos de lo que no se debe hacer. Lógicamente me hicieron amar todo lo que me prohibían. Durante mucho tiempo la casa fue el mundo... Cuando el Excelentísimo Ayuntamiento de Málaga nos la expropió un cambio muy profundo... se produjo en mi interior.

Después ingresé en un instituto también privado hasta que pude elegir y me fui al otro extremo del mundo, es decir, de la ciudad. Más tarde en el instituto público conocí a las personas más interesantes e importantes de mi vida —aún lo son—, y allí la literatura fue apareciendo, aunque ya desde hacía años intentaba escribir versos. La lluvia y la excesiva conciencia de mí misma me paralizaban para otras actividades y me acercaban a la lectura y la contemplación.

Tuve que comenzar a trabajar al tiempo que estudiaba en la universidad, lo cual creó en mí una esquizofrenia que aún perdura. La literatura quedó sepultada, relegada siempre, pero la poesía me acechaba y aguardaba el momento de aparecer, era mi única realidad, mientras yo vivía un error...

Después de una década de matrimonio, cambié mi vida. Hubo otras relaciones y sentí el vértigo de vivir libre de los encasillamientos tradicionales. Por eso en este momento no soy virgen ni soltera ni casada ni madre. No estoy detrás ni a la izquierda de ninguna fotografía. A pesar de todo soy, estoy inmersa en la sociedad con un sentimiento en desafío. La única concesión que le hago a la tradición es la de ser amada y amante. El resto podría dinamitarse creando nuevas estructuras. No debemos definirnos en relación con los otros, puesto que las relaciones convencionales siempre limitan.

Hace años que enseño español a estudiantes extranjeros y eso me hace vivir fuera de mi cultura, reconsiderarla diariamente, aparentar un viaje constante.

POÉTICA

Definir qué es poesía es tener demasiada paciencia. Lograrlo sería, para mí, resistir. Resistir es la dificultad.

Si hay en mi vida una angustia esencial que continuamente se traga mis proyectos y a la vez me empuja y conforma lo que soy, la poesía es, en principio, la posibilidad de enfrentarme a ella. Escribir me permite objetivar, fijar e investigar lo que soy, lo que somos, inmersos en la ignorancia y el miedo. Podría decir, siguiendo a Bataille, que esa angustia es mi oportunidad.

Pesimismo quizás, pero en la certeza de respirar sólo a través del poema. Porque sólo en él me acerco a lo que soy. Objetivar, ser y hacer para superar.

Superación y síntesis de lo vivido, aprendizaje. De ahí que el poema sea una inmensa caída, un fracaso, y al mismo tiempo la única posibilidad de ser o sentirse ser.

Aunque la poesía, el arte, no cambie nada y no sea escudo suficiente contra el horror, me permite luchar porque me acerca lo que podría ser, la posibilidad, la esencia misma de la rebeldía, insubordinación y libertad.

El poema viene de la realidad de la vida, desde luego, sometida a una serie de translaciones y refracciones. Esta se cuenta, se reinterpreta o se construye, pero hay algo que se escapa siempre, algo se desliza. El poema, entonces, la belleza, nos lleva a otro poema, a otra belleza, buscando siempre. Opino, con Blanchot, que la obra es búsqueda de la obra.

Toda obra está inserta en la tradición para afirmarla o negarla. Pero me gustaría no respetar. ¿Respetar es aceptar? Probablemente no. El poema es construcción, creación y libertad. Me gustan las repeticiones, las repeticiones dan solidez a la obra. Cada repetición se advierte absolutamente necesaria. Se aprecia en el contexto.

Por todo ello aunque no escriba, escribo, me acerco continuamente al poema, intento lo que soy, y sólo a veces aparecen versos probables, en arrebatos, por un instante respiro. El resto del tiempo no existo.

CUESTIONARIO

1.—¿Cómo se engendra tu poema? ¿Dónde? ¿Cuándo? ¿Por qué?
Como diría Paul Celan «el poema está siempre en camino». Es el
azar lo que hace que finalmente llegue o que estemos toda la vida
esperándolo. El trabajo, la constancia, la obsesión, también cuentan,
pero finalmente es casual que encuentres la expresión justa, desea-
da, o que decidas detener el proceso y el poema quede en su instante, como una fotografía que sería bien distinta realizada dos días
después.

2.—¿Crees que el ambiente influye en el poeta?
Por supuesto que influye. El ambiente envuelve el poema o es
contrapunto. Está ahí para escapar de él, le da sentido...

3.—¿Cuáles son los temas que te inspiran?
Los temas del poema suelen ser los mismos en la historia de la
literatura. Detrás de cada poema siempre está la perplejidad ante la
vida, el amor, la muerte, la injusticia eterna, el sinsentido que adver-
timos en los demás. Como diría Lorca «detrás de cada poema siempre hay alguien».

4.—¿Cuándo empiezas a sentirte poeta?
Nunca me he sentido poeta. Siempre he querido serlo. Desde muy
joven he sentido deseos de escribir, pero verdaderamente nunca me
he dicho a mí misma «soy poeta». A veces, incluso, la expresión me
hace pensar en un lirismo trasnochado, otras veces siento su grandeza. Un día me dije «escribo» y ése fue el estremecimiento.

5.—Si tuvieras que clasificar tu poesía, ¿dentro de qué movimiento encajaría?
No creo pertenecer a ningún movimiento. La verdad es que no
tengo una percepción clara de mi estilo. En cualquier caso los elementos que aparecen en ellos parecen símbolos. Tratando de ciertos
objetos defino o me acerco a mis sentimientos.

6.—¿Piensas que a la mujer poeta se la ha otorgado en el mundo
literario el puesto que merece?
Evidentemente no. Si vivimos en un mundo dominado por hombres es fácil que muchas se hayan quedado en el camino. Otras, de-

bido a su sexo, han sido reconocidas mucho tiempo después. Esto por supuesto ha ocurrido también con muchos hombres, pero las mujeres en el pasado simplemente no podían acceder. Aceptar esta realidad es mi tarea imposible.

7.—¿Te consideras feminista en tus temas o en tu actitud?

Sí. Creo que es difícil no sentirse feminista siendo mujer y observando nuestro mundo. Si se entiende por feminismo el deseo de establecer un lugar de acción y de pensamiento que la historia —o el hombre— le ha negado hasta ahora a la mujer, todas deberíamos ser feministas. Sin embargo, no trato directamente este tema en la obra, pero está ahí, alimentando probablemente la escritura. Es necesario, no obstante, replantearse en nuestros días qué es feminismo y agradecer cualquiera de sus significados.

8.—¿Crees que la escritura poética tiene género?

Probablemente no lo tiene. La diferencia de género es más bien cultural, psicológica... La delimitación de cómo es cada género es forzada, artificial. Muchos escritores expresan sentimientos que tradicionalmente hemos llamado «femeninos» y muchas mujeres escriben como tradicionalmente lo han hecho los hombres.

9.—¿Te sientes completamente libre en el momento de escribir aunque seas mujer?

En teoría al escribir todos somos libres o completamente siervos. Escribir se parece mucho a una enfermedad.

10.—¿Qué te gustaría lograr como escritura?

Llegar a mí misma.

SELECCIÓN DE POEMAS

CALIDOSCOPIO

Releer un poema hasta volver al deseo,
a la columna de arcilla
donde atamos la fiebre,
perseguir los disfraces de la angustia
en la súbita red de los espejos.
El azul escalofrío se torna celeste,
a veces en un gris casi odio
sobre el fondo vigilia de las galerías.
Se abre una puerta y oigo la campanilla
cuando se ajustan enloquecidos los colores.
Avanzar lentamente,
en la noria giran los sueños, se cruzan
como pozos violetas en la noche,
las estancias conservan
el pavor de las vitrinas
y un barniz inconsciencia.
El verde se disuelve en rojo indescifrable.
Hay siluetas tras los vidrios,
pero sus ojos no ven,
sus pasos no acercan.
Por fin se borra el horizonte, se curva
la madera de las vigas
por esas manos que cierran los postigos.
Y en los goznes dorados comprendo las cenizas.

[De *Redes imprevistas*, 1993]

LAS AFUERAS

MI casa está en las afueras,
habito un escenario
de arpas y herraduras,
siniestro decorado
donde arrecia el desorden
e impera la sospecha:
un día cederéis a la bruma
y abandonaréis también la ciudad.

LABERINTO

UN abanico provocó el vendaval,
selló un escalofrío el desorden de la siesta,
mármoles oxidados, redes imprevistas
obstruyeron la ciudad.
No soy libre,
el laberinto crece como una obsesión
y no hay espacio en la memoria.
Habrá que acomodarla: devastar los muros,
taladrar los árboles, dormir en las aceras,
restituir aquella vocación desde los palcos,
su incertidumbre, el resplandor...
Al cabo de unos meses te asombrará ese lugar,
adolescente que querías permanecer en la bruma,
adolescente que querías permanecer en la bruma,
paseante extraviado en el recuerdo.
Sólo la constancia de un faro, una esquina,
de repente evoca lo más íntimo,
y recobramos la conciencia.
Tierra y agua cercando a los anfibios
que no consumarán la transgresión
y gravitan las cornisas del anhelo,
raíles detenidos en la orilla.

[De *Redes imprevistas*, 1989]

RESACA

EL zar se ha dormido
tras evocar unos versos antiguos,
la predisposición al insomnio.
Ahora sueña con estancias azules, telones púrpura
de un palacio barroco sin salida.
Los escudos se alzan, una imagen
revierte noche sobre la noche, le retrae
en su implacable codicia,
sinfonías y trances bajo las sábanas.
Qué habrá sido de aquel confidente sutil.
Cesa la danza, reincide el bronce
en altos campanarios, su temprano dolor
bajo las cúpulas.

Al mediodía recoge pájaros muertos en la alcoba,
botellas derramadas en pasillo,
su memoria cubierta de algas
reconoce el fragor de los bares
y un deseo fluctuando en el crepúsculo,
monedas falsas a la deriva.
Pero aún quedan algunas páginas de Scott Fitzgerald.

[De *Redes imprevistas*, 1989]

EL ACECHO

Una manada de coyotes
nos aguarda en las esquinas de septiembre,
somos los extraños.
Aprendimos a caminar por el borde de un acantilado
y se acostumbró la noche a recibirnos
por la siniestra escala de su andamio.
El mar también nos fue propicio.
Nos alertó un sonido de arpas en las venas
inmotivado como las horas,
y desdoblamos el incierto mapa de los fines.
No era de plata el sueño del estanque
bajo la luna descifrada,
no estamos despiertos
a pesar del metal vibrando en los oídos,
a pesar del quebranto de los años.
Huérfanos bostezan los centinelas del jardín
proyecta el inminente silencio,
y no sería cortés ignorarle.
Noviembre

No elegí esta ciudad
pero su vientre senil me cautiva,
mujer de exquisita paciencia
dispuesta siempre a la lujuria.
Profetas, emperadores, bailarinas
con ese disfraz común
pisando cierta ficción en las aceras.

No elegí esta sombra,
desfallecer apartando redes
para unir extremos irreconciliables,
pero tú formas parte de mi soledad.
El desvarío nocturno se apoya en las esquinas
cundo se advierte nadando hacia el hastío
y el desencanto señala direcciones
donde nadie aguarda al rezagado.
De otra forma no sabría huir.
Calidoscopios, vidrieras
para objetivar el pensamiento,
cristalizar la ignorancia
y ese afán de destrucción
cuando la lluvia nos atrapa
donde nunca estuvimos.

[De *Redes imprevistas*, 1989]

NOCTURNO

I

EN el crepúsculo se alargan los pasillos
que el amante recorre sin descanso,
lentamente van formándose los límites
y surge violento ese mar,
torso verde aislado entre muros.

II

Las barcas flotarán toda la noche
crujiendo en el silencio de las sienes,
la espera y sus ondas bajo las quillas.

III

Al subir la marea una avidez de espuma
quiebra las ventanas, arroja troncos sobre el lecho,
brújulas ciegas entre las sábanas.
Una furia de mástiles es la noche abolida.

IV

En el reflujo al alba aparecen los cuerpos,
la carne extinta en todo su misterio,
lo embalsamado tantas noches buscando una orilla.

[De *Redes imprevistas*, 1989]

SEGUNDA COMUNIÓN

LAS ramas secas de Dafne
quedaron detrás de las pizarras
y los caprichos que humedecían las manos
en el borde forrado de los libros,
pero una ciega geometría
sigue desplegándose en la frente.
La renuncia nos hizo más discretos,
dispuestos a adornar nuevamente los postigos
y recitar los preceptos de la angustia,
las dádivas truncadas del evangelio.
En silencio forjamos las anillos
y aceptamos los presagios,
apuramos el vino que pretendimos compartir.
Nuestros ojos se acostumbraron al alba,
fugaces, concatenados sobre el patíbulo,
ebrios de un minuto de historia.
Pero una larva se acumula en los altares
de este mediodía no resuelto.

[De *Redes imprevistas*, 1989]

EL QUINQUÉ AZUL [SINFONÍA]

CALLES y palomas se cruzan
es este desaliento,
los bufones cuelgan sus máscaras
y se ejercitan para otra danza,
huyen,
retornan tras una larga celosía,
pero sienten el ancla, las notas lívidas
desolladas en el muro, y preludian
el escenario terco de nuestra epopeya mínima.
Unidos por el azul que nunca se apaga,
sus deseos ordenados, yuxtapuestos,
se saben dispersión y unidad,
marina pesadumbre.
Llegan a la cancela y está oxidada
y tantean su infinita cerradura.
En el halo del quinqué los signos cotidianos,
el friso de los delfines,
mosaicos de analogías ahogadas,
y en la melodía el perfume,
una resignación de primavera.
Se esa luz se apagara
en el azul escribid un epitafio,
escaleras que cimbrean,
andenes que se alargan,
al amanecer burlados pero erguidos soñando
guardianes fijos en las cornisas.
Y no hay presentimientos.

¿Quién nos agradecerá tanta paciencia?

[De *Redes imprevistas*, 1989]

COMENTARIOS

Alguna cita sobre *Redes imprevistas*:
«La palabra se adentra en las espesuras de sus símbolos y de sus espirales, de sus abismos y de sus lujurias. La gramática simbólica de este libro es el deseo expreso de ordenar el caos del amor para romperlo en la nueva y eterna necesidad de amar, en la batalla de los contrarios cuando los prismas del tiempo y la naturaleza nos azotan con sus esquinas.» [Antonio Garrido]

BIBLIOGRAFÍA

Publicaciones
1. *Artículos y reseñas críticas publicadas en revistas especializadas y suplementos literarios:*
Sur Cultural. «Otro año en el sur», núm. 283, Málaga, 23-2-91.
Sur Cultural. «Una indispensable señal», núm. 288, Málaga, 6-4-91.
Sur Cultural. «Elogio de lo inútil», núm. 2 89, Málaga, 13-4-91.
Sur Cultural. «Sólo se vive una vez», núm. 300, Málaga, 29-6-91.
Sur Cultural. «Un caso patológico», núm. 306, Málaga, 24-8-91.
Sur Cultural. «Al límite de la lógica», núm. 313, Málaga, 12-10-91.
Sur. «Tiempo de Charol en fuga», 16-1-93. «Noticia inacabada», 3-7-93.
Sur. «El valor del olvido», 23-10-93.
Analecta Malacitana. «Un elixir de larga vida», 1995.
Analecta Malacitana. «Vislumbres de la India», XIX, 1, 1996, págs. 278.
Sur. «Singularidad poética», Málaga, 4-7-98.
Diario de Málaga. «Un contemporáneo ilustrado», «Papel Literario», 27-12-98.
Diario de Málaga. «La validez de la existencia», «Papel Literario», 25-4-99.
Diario de Málaga. «Aprender la felicidad», «Papel Literario», 18-7-99.
Recogimiento, Colección Ciudad del Paraíso, «Bibliografía» de Pablo García Baena. Málaga, 2001.
Diario de Málaga. «Defensa de la lectura», «Papel Literario», 17 de junio, 2001.

2. Creación Literaria:
Redes imprevistas, plaquette, El Guadalhorce, Málaga, 1991.
Cuando baje la marea, Tediria, Málaga, 1992.
Redes imprevistas, Devenir, Madrid, 1993.

3. Estudio crítico:
Esteticismo como rebeldía: La poética de Pablo García Baena, Ed. Renacimiento, Sevilla, en prensa.

4. Algunas colaboraciones en libro, revistas especializadas y suplementos literarios:
Arte y *Literatura.* «Laberinto», «Calidoscopio», «La pesadilla», en *Sierra Bermeja,* Junta de Andalucía y Unicaja, Málaga, 1993.
El Parnaso. Revista Literaria de Correos. «Laberinto», núm. 29. Málaga, 1990.
Sur Cultural. «Hogueras en el espejo», «Románico», núm 303. 20 de julio, 1991.
Sur. «Resaca», en «La cera que arde», 6 de noviembre, 1993.
Guía de *Artistas* y *Escritoras Andaluzas Contemporáneas.* «La batalla». Instituto Andaluz de la Mujer, 1997.
El deseo de *la palabra.* «La fragua», IV Encuentro de poetisas, Málaga, 1-4 de diciembre, 1999, págs. 31-32.
La Manzana Poética. «La leyenda», Revista de Literatura y Crítica. núm. 3 Primavera/Verano. Córdoba, 2000.

María del Carmen Guzmán

Biografía

Nací en un precioso pueblo blanco de la provincia de Huelva llamado La Palma del Condado. Debido a que mi padre era militar, mi vida ha sido un continuo cambiar de ciudad, de amigos y de circunstancias. Soy la mayor de ocho hermanos, en el ambiente familiar más propicio y estimulante para todas las manifestaciones del Arte. De hecho, todos mis hermanos practican alguna faceta artística, como la Música, el Teatro o la Literatura.

Como anécdota, puedo contar que mis padres, de novios, se escribían diariamente larguísimas cartas en verso. Es natural que con un entorno así, la belleza, la fantasía y la creatividad no faltaran nunca en nuestra casa, ni en la de mi abuela, mujer excepcional de la que guardo un entrañable recuerdo. Ella no sólo era poeta. Ella era la Poesía en persona.

Siempre escribí, desde niña, pero también dediqué mi tiempo y mi energía en estudiar, leer, hacer deporte y teatro, cantar ópera, bailar y viajar con los Coros y Danzas, cursar estudios en Estados Unidos, montar a caballo y sobrarme energía, entusiasmo y tiempo para otras actividades, como la de ganar premios en la radio. Esa sobreactividad me causó mucho bien en un sentido, pues hizo que mi mente estuviera ocupada en cosas buenas y bellas, pero en otro orden de cosas, fue negativo. Tantas habilidades (también cosía, diseñaba, dibujaba y pintaba) y ocupaciones contribuyeron a que me diluyera y no me especializara en casi ninguna, excepto la carrera, que era una obligación. Sin embargo, a lo largo de mi vida nunca dejé de escribir, salvo en contadas ocasiones y circunstancias especiales de trabajo, viajes y obligaciones de ama de casa y profesora de inglés.

Escribía de noche, casi a escondidas, versos muy tristes y desgarrados que reflejaban la desilusión y la rabia, pero que me servían de válvula de escape y consuelo, sin importarme el que alguien los leyera. Escribía para mí. El bolígrafo era la salida de mis sentimientos y el papel mi confidente.

La vida me dio sinsabores y alegrías. Más de aquéllos que de éstas, y todo, todo ello quedó reflejado en mis libros inéditos. Busqué a Dios, a mí misma y a la Belleza, por todas partes y todas me decepcionaron. Sólo me fue fiel mi amiga, la Poesía, pues gracias a ella pude sobrevivir, sin plantearme siquiera la posibilidad de publicar mi extensa obra, sin importarme la fama, la crítica ni el «marketing».

Sólo me decidí a editar mi primer libro *Al sur del infinito,* en un intento de plasmar mis inquietudes religiosas y filosóficas. A partir de entonces, he editado cinco libros, varios plaqués, he publicado en revistas, dado conferencias y mis poemas se han leído en la radio. Recibí varios premios literarios y todo esto me sirvió de acicate para seguir escribiendo porque si dejara de escribir no sé qué sería de mi vida. El Arte en general y la Poesía en particular, es mi alimento. La esencia, la base de ese alimento es la Belleza, con mayúscula, que me hace siempre recordar la famosa bendición de los indios navajos: «Que camines rodeado de belleza».

Y eso es lo que intento en mi poesía y en mi vida: rodearme de belleza, que no de lujo. De belleza fluida, sencilla, auténtica y de corazón, y si ese poco de belleza se la puedo transmitir a unas contadas personas, como digo en un poema, «Habré encontrado ya mi paraíso ... y me echaré a dormir a verso suelto».

POÉTICA

Digo en un poema que mi poesía es como un niño pequeño, un niño que grita, llora, ríe y tiene a veces pataletas. Por eso, es natural, como un niño, sin esfuerzo, fluida y musical. Yo no fuerzo la medida ni el ritmo ni la rima. Me brotan solos, porque tengo un buen oído. Por eso dicen que escribo muy bien los sonetos, que para mí son un divertimiento. Pero también escribo en versos libres, lo que ocurre es que en esta faceta (como en la de cuentos) soy menos conocida.

En cuanto al fondo, «No tengo un camino, porque tengo mil», digo en un poema, porque mi camino es la diversidad, no es línea recta. Según mi estado de ánimo o mi inspiración, mi poesía puede echar chispas o exhalar un suave perfume, puede gritar de rabia o de amargura o te puede envolver en los pícaros y tiernos juegos de palabras de mis *Sonetos de andar por casa* o en los versos libres de *De puertas para dentro.*

Mi poesía, a veces, va envuelta en un sutil halo misterioso, adrede, para no decir claramente lo que por pudor o por elegancia no quiero decir, pero otras, ese misterio es real, porque lo que he hecho es transcribir sueños y sensaciones que yo misma no entiendo del todo.

El que diga que mi poesía es fluida y natural, no significa que no sea elaborada, pues hay y debe haberla, una técnica, unos recursos, unas herramientas y un trabajo concienzudo.

En el libro *Al Sur del Infinito,* se narra en tono poético pero conciso, un camino iniciático.

Mordaza y brida es un librito de seis sonetos amorosos, tristes, por un amor perdido.

Mi voz en una piedra es un cúmulo de gritos desgarrados, pero contenidos, en versos libres y cortos.

En *Sonetos urbanos* he querido hacer notar el contraste entre una métrica tan tradicional como es el soneto con un lenguaje moderno, temas actuales, cotidianos, de la calle. Pero es pura apariencia, pues en el fondo, esas calles, por las que merodeo en una alucinante zambullida, son calles internas, pasiones y sentimientos.

CUESTIONARIO

1.—¿Cómo se engendra tu poema? ¿Dónde? ¿Cuándo? ¿Por qué?

Mi poema se engendra por una vivencia especial, por un hecho que me llama la atención, por alguna palabra, sueño o sensación que me motiva. Pero esta inspiración es caprichosa, sin método y casi siempre, sin intención, como si fluyera mágicamente. Lo que sí digo es que las musas me visitan cuando trabajo, porque en un poema no sólo hay inspiración, sino también método y técnica. Nace el poema en cualquier parte, pero la mayoría de las veces en el silencio de mi estudio, donde ni el más pequeño ruido me moleste. No soy yo de las que escriben en cualquier lugar. Para mí, el acto de la creación poética es un acto sagrado, y como todo lo sagrado, requiere su santuario, el santuario de mi estudio y las herramientas apropiadas de un taller. Suelo escribir de noche, cuando el alma se serena, cuando las tareas de la casa no me abruman, cuando la calle se queda desierta y *sólo* escucho las palabras que bullen en mi mente. ¿Por qué? Porque sí, sin razón, porque el poema llega cuando tiene que llegar y no siempre cuando lo llamo. Porque a veces las musas se han ido de vacaciones o porque me asedian todas a la vez.

2.—¿Crees que el ambiente influye en el poeta?

El ambiente influye, como influye el clima, la cultura, el país, las costumbres o los acontecimientos relevantes del entorno.

3.—¿Cuáles son los temas que te inspiran?

Me inspiran casi todos los temas, los clásicos, como el amor, la muerte, Dios, la injusticia, lo oculto, el misterio, la naturaleza, la ecología, el más allá y el más acá, lo trascendente y lo cotidiano, el campo y la ciudad, mi alma y la ajena.

4.—¿Cuándo empiezas a sentirte poeta?

No recuerdo cuándo exactamente empecé a sentirme poeta. Creo que de muy niña, pero empecé a escribir en serio de adolescente, y aunque al principio me sentí influenciada por los románticos y modernistas, poco a poco fui creando mi propia personalidad poética. Sin embargo, por diversas circunstancias, mi primer libro tardó mucho en ver la luz.

5.—Si tuvieras que clasificar tu poesía, ¿dentro de qué movimiento encajaría?

Tampoco sería capaz de encuadrar mí poesía en ningún movimiento. Digo en un poema: «mas tened cuidado / no os fiéis de mí / no tengo un camino / porque tengo mil». Es decir, cada libro, cada poema, es fruto del momento, y como la forma no se puede separar del fondo, cada poema es una entidad propia y es libre y único. Sí que tengo algunas tendencias, pero amalgamadas y al menos conscientemente, no sigo a nadie.

6.—¿Te consideras feminista en tus temas o en tu actitud? Nunca se le ha otorgado a la mujer el puesto que merece, no sólo en la poesía, sino en todas las manifestaciones del Arte o de las Ciencias. Esto es debido a muchos factores, como culturas, machismo, sociales, o de su propio rol de hija obediente, esposa o madre. Pero es que a pesar de que la mujer de hoy, aparentemente ha dado un salto de gigante con respecto a sus antecesoras, todavía tiene que luchar *denodadamente* contra una sociedad más que machista, misógina, diría yo. La prueba está en que pocas mujeres pueden entrar en ciertos círculos cerrados de hombres solos. El mundo no ha cambiado tanto. Pero es que hay más, porque la mujer (aunque también en esto va cambiando), la mayoría de las veces es su propio enemigo. Se enfrasca en muchas cosas a la vez, se enamora, se esclaviza a un marido, a unos hijos, y no le queda tiempo para dedicarse al Arte. Y por si esto fuera poco, la mujer no es solidaria, sino individualista. Los hombres van juntos a la guerra, al trabajo, de juerga y hasta al servicio (no al militar solo, sino al otro) y son solidarios cuando lo necesitan, incluso cuando son enemigos, se alían

7.—¿Crees que la escritura poética tiene género? La literatura y sobre todo la poesía, no creo que tenga género. Claro, el sexo, como cualquier otra circunstancia influye, pero no necesariamente imprime carácter. De hecho hay poemas duros, de mujer, y hay hombres que escriben con gran dulzura.

8.—¿Te sientes completamente libre en el momento de escribir aunque seas mujer? ¿Qué si me siento libre? Bastante, porque nadie es absolutamente libre, pero más libre que antes, sí. Me he quitado de encima muchas cadenas del pasado, pero aún me quedan algunas.

9.—¿Qué te gustaría lograr como escritura? Mi mayor ilusión como escritora es que conozca mi obra la mayor cantidad de personas posible, y lo que es más difícil, que la aprecien. Un amigo mío tiene mis libros en su mesilla de noche y no puede dormirse sin leer un poema. Esto es importante, ¿no?

SELECCIÓN DE POEMAS

COMO la yedra al árbol,
como la lluvia al césped,
como licor antiguo
para llenar el ánfora de plata
de la memoria alada.
Para llenar el campo de heliotropos,
la huerta de rocío, mi salón de nostalgias.
Como elemento básico que ha perdido su enlace,
y busca la valencia de un átomo perdido
en las noches pobladas de mundos siderales.
En el vientre glacial de una botella
guardaré mi canción a sal y llanto
para romperse en prismas de universos de luz.

[De *Gaia*, 1995]

Es una luz vivísima
que de repente entró por mi ventana.
Un respiro a la sombra de la higuera,
un leve movimiento del aire en los tejados.
Los niños, jinetes en las tapias
como las buganvillas,
eran pequeños dioses
que atrapaban el tiempo.
Así llegó por fin
esa nube dorada,
como un juglar perdido
en el inmenso piélago del tiempo,
mientras bailan las garzas
su minueto de amor.

[De *Gaia*, 1995]

MACETAS

Yo tengo mi jardín de Babilonia
concentrado en centímetros
de barro y de cerámica.
Un paisaje imposible
me abraza en esta tarde de domingo.
Mis macetas,
poesía concentrada,
rodean mi soledad
con un ensueño de serena belleza.
Y el Sol
por mis ventanas
me transporta a otros mundos de sutiles perfumes,
mientras la mariposa
milagro de este siglo
me dice que la vida
puede ser muy hermosa todavía.

[De *De puertas para dentro*]

LA ESCOBA

Paciente espada
vengadora de esperas,
callada pluma
firmante de poemas del silencio,
enhiesto gallardete
de reina sin corona,
divino cetro
para limpiar pecados cotidianos.
Callado humilde,
señalador de rumbos,
bastón de mando

de alcaldes sin mandato.
Varita mágica y arcano caduceo.
Borrón y cuenta nueva
que da brillo, pule y da esplendor
a las sutiles letras
de la Ilustre Academia del Hogar.

[De *De puertas para dentro*]

PAPEL

Blanco paisaje,
impoluto pañuelo
para enjugar mis lágrimas
que espera la caricia de un poema,
las negras mariposas
atrapadas al vuelo por las musas.
Devorador insaciable de belleza
que a veces te me escurres
como un sueño de peces plateados,
cuando una Luna roja
asusta a mi ventana
y un suspiro truncado,
una rima furtiva,
una anáfora tonta,
se van en la mañana con el gallo que canta.

[De *De puertas para dentro*]

YEDRA

COMO la yedra al árbol,
como la lluvia al césped.
Como un licor antiguo
para llenar el ánfora de plata de la memoria.
Para llenar el campo de heliotropos,
la huerta de rocío,
mi salón de nostalgias.
Mil puentes paralelos sin principio ni fin
alrededor del Mundo,
amorosa espiral de polo a polo
recortada en la piel de una naranja
en un inmenso abrazo de aromas vegetales.

[De *Estancias del agua*, en imprenta]

ABEJAS

ABEJAS desatadas
que pugnan por salir de las colmenas.
Pululan como locas
en un zumbido
de amarillos y negros helicópteros.
Se vienen y se van
y no soporta el frágil micromundo
el trágico seísmo de los huesos.
Ácaro silencioso
que orada las paredes de tus venas.
Un panzer corrosivo,
punzante sensación que duele no sé dónde,
una nube de polvo
frenadora de vuelos
        y abejas   de   s   t   a
                                 a   d
                                      a   s

[De *Estancias del agua*, en imprenta]

SEQUÍA

DE ternuras regué soles ardientes
y he cosechado lunas, lunas gélidas.
Guijarros del sendero
grabaron en mis pies
la señal de la noche
con estrías de rojo pedernal.
Guijarros que se lleva la corriente
con la prisa del río,
espirales de sombras.
Chirriantes los gritos,
acuciantes chicharras de la siesta
impiden el sereno discurrir
del agua y las idea.

Encontraré la nota que me falta.
Se unirá a mi canción
para formar la bella melodía
que susurran los sueños de la fuente
¡Qué surtidor de vida si lloviera!

[De *Estancias del agua*, en imprenta]

LUZ

Es una luz vivísima
que de repente entró por la ventana,
un respiro a la sombra de los toldos,
un leve movimiento del aire en los tejados.
Los niños jinetes en las tapias
como las buganvillas,
eran pequeños dioses que atrapaban el tiempo.
Es la nube preñada de futuras canciones
que de pronto detiene su camino
sobre el árido asfalto.
Es el viento que sopla sobre un lago
que se duerme indolente
rumiando su paz entre montañas.
Es un sueño de miles existencias.
Así llegó por fin
la vieja nube,
como un juglar perdido en el espacio.

[De *Estancias del agua*, en imprenta]

COMENTARIOS

«Pinceladas de poesía visual ayudan al lector a no perder la sensación de movilidad...»
«Sacude todos sus versos un temblor de armonías que los traspasa aun cuando afronta los temas más áridos.»
«Una neolengua, una habla privada que se erige como un saber sobre la nada, un camino interior.» «La obra de Carmen Guzmán es paradójica cada hombre es un Segismundo encerrado en su torre...» [Manuel Salinas]

«Un lenguaje moderno dentro de una estructura clásica ¡Qué dominio del lenguaje!» [Isabel Pérez Montalbán]

«Leer tus sonetos me ha dejado un sabor de buena arquitectura hay algo de piel y exactitud.» [Rafael Pérez Estrada]

«Algunos de los poemas son como escenas enmarcadas, como ventanas que miran al mundo y hacia dentro.» «Esa sensación de vértigo versos estremecedores.» [Juan Gómez Macías]

«Con una forma de decir que aunaba elementos propios de una visión neomodernista con otros elementos e imágenes propios del purismo de los años veinte.» [Francisco Ruiz Noguera]

El libro premiado *Sonetos marinos*, es un dulce canto al mar.

En imprenta se encuentra el libro *Estancias del agua*, en la que el agua habla en primera persona casi siempre, pero que dividido en cuatro estaciones o estancias, son las cuatro etapas de la vida del hombre. Pero va más allá, pues también se está refiriendo al ciclo de la vida y la muerte al ingreso y al reingreso, es decir a la Reencarnación en la que no creo ni dejo de creer, aunque todo es posible en poesía.

El libro inédito *El último reducto,* es un libro que fluctúa entre la depresión y la esperanza. «Yo, mujer de Lot, sólo puedo ofrecerle mi adiós de cada noche.»

En *Cadenas del hombre* soy como una especie de espada flamígera, denunciando pasiones y defectos humanos, como en «El miedo o como si tuviera un alma humana la ropa que colgaste del perchero.»

De puertas para dentro es un libro que rezuma humor y ternura, pero también una cierta melancolía y un amor a las cosas sencillas del hogar.

Lo mismo podría decir de Sonetos de andar por casa, sólo que estos versos son más saltarines y juguetones: «Danzando en los cordeles una orgía de trapos bailarines.»

BIBLIOGRAFÍA

Libros
Al Sur del Infinito, Colección Corona del Sur, Málaga, 1991.
Mordaza y brida, Ateneo de Málaga, 1993.
Mi voz en una piedra, Colección Azul y Tierra, Málaga, 1994.
Sonetos urbanos, Diputación de Málaga, 1995.
Sonetos Marinos, Primer premio Giner de los Ríos, Nerja, 1996.
Selección de poemas de la lectura en la sede de la Generación del 27, Málaga, 1998.

Plaqués
Gaia, Lares, Sonata para una flor, El Aula.

Inéditos
De puertas para dentro, El último reducto, Relatos imposibles Cadenas del hombre, Sonetos entrañables, Pórtico de Absinto, Sonetos de andar por casa y Estancias del agua (en imprenta)

Colectivos
Compendio, Antología, Homenaje a M. Hernández, Id a L. Felipe, Id a José Martí, diversas revistas literarias, 27 cuentos de Narradores Malagueños, Homenaje a la Generación del 27.

Premios
Sonetos Marinos (Nerja), El día que la Tierra huyó (Agrupación Hispana de Escritores, Mataró), Arengas para la Paz (Premio Ejército), entre otros.

Inés María Guzmán

BIOGRAFÍA

Soy la cuarta de ocho hermanos (cinco del género femenino y tres del masculino), vine a nacer en la costera ciudad de Ceuta —la perla del Mediterráneo.

De esa ciudad, recuerdo la casa, con su gran patio, los mimos por ser la más pequeña en aquel entonces. Y por aquel entonces también, mi afán por rimar las palabras, y los corrillos de niños a mi alrededor para oír mi charla versificadora y teatrera.

Cuando apenas contaba cinco años, y como mi padre era militar, sus ascensos y cambio de destinos, nos llevarían a continuación a traslados y a las famosas mudanzas (de las que hablo en mi libro: *Hace ya tiempo que no sé de ti*) y a nuevas ciudades y colegios, con la consabida nostalgia que nunca abandonaría, y que con frecuencia han plasmado mis poemas.

Badajoz, Huelva, Sevilla y San Roque, en este orden, serían los lugares por donde el paso de mi infancia y adolescencia, marcaron la huella de toda una vida. Para terminar en Málaga, donde me casé, descasé, y donde he publicado hasta ahora, prácticamente toda mi obra.

Málaga es por fin mi Ciudad Paraíso, unas veces encontrado y otras perdido. Llegué con mi equipaje de versos. Un día se los llevé a José Luís Estrada y Segalerva, y para mi sorpresa, me los publicó en su magnifica y antigua revista *Caracola*, al lado de tan prestigiosos y admirado nombres como el de Juan Ramón Jimenez, Amado Nervo, o Carmen Conde. A partir de ahí, me tomé más en serio lo de publicar, y apareció mi primer libro: *Brisas*, de cuyo nombre tengo que acordarme por ser el primero, el que dio paso a los demás. Si bien antes, en Sevilla y San Roque, había publicado en alguna revista o prensa; y eso si, había leído mis propios poemas en público, o en la radio, y hasta obtenido alguno que otro premio.

La anécdota es que, en San Roque, los niños por la calle me llamaban: poetisa, poetisa... como una especie de insulto, que yo no sabía muy bien cómo tomármelo. En esta misma ciudad, anduve del teatro a la danza, llevando el grupo de coros y danzas, investigando en los comienzos de su «fandango de punta y tacón», a los cuales les hice nuevas letras alusivas al pueblo y al baile en sí, y que ahora cantan mezcladas con las antiguas.

Y después de «tocar» el teatro, la danza, el deporte y los demás estudios, cada vez me centraba más en la poesía, en la Literatura. Al trasladarme a Málaga, no perdí el contacto con San Roque, allí tuve el honor de dar el pregón de la feria y de su Semana Santa. He asistido a muchísimos cursos de verano. Seminarios de Literatura, etc., donde tuve la oportunidad de entablar amistad con Carmen Conde, leer al lado de Rafael Alberti, o ser presentada en una lectura por Aurora de Albornoz.

En Málaga, y desde Málaga, he ido construyendo más seriamente lo que ya se podría llamar una obra. En ella acabé mi licenciatura de Arte Dramático y Declamación que comencé en Sevilla, la Danza Clásica, o la Educación Física, comenzada anteriormente. Me he sentido integrada en sus pregones de La Biznaga, reservado a sus grandes nombres, o el de La Mantilla, de tanta tradición.

También tuve la oportunidad de conocer en su casa del Paseo Marítimo a Jorge Guillén. Don Jorge, como en esta ciudad se le nombra, y que tuvo la amabilidad de escribirme un prólogo para mi libro: *Donde habitan gaviotas.*

Mis libros tienen algo que ver con todo este entorno, y el hecho de ser la directora del grupo de teatro de la Once (Organización Nacional de Ciegos) durante unos años, me llevó a escribir *La otra mirada.* Libro que fue trascrito al sistema Braille.

Durante este periodo se llevaron a escena (por invidentes totales), mis poemas del *Tríptico de Talía,* que luego, en otra versión, se volvería a representar por un grupo de teatro universitario, en la propia Universidad de Málaga.

He participado en sus eventos culturales, haciendo lecturas en al Centro Cultural de la generación del 27, o apareciendo en antologías, como *Poetas en Málaga,* colaborando en prensa y revistas. Moviéndome en fin, por su vida artística y literaria de tantos y tan buenos nombres.

Actualmente, ejerzo como vocal de Poesía del Ateneo de Málaga, desde donde dirijo algunas colecciones poéticas.

En la Literatura condenso mis aficiones al Teatro, la Danza, algunos deportes, incluso la equitación, que practiqué de niña, y aparte de todo eso, me encanta practicar el gran deporte, el gran arte de la Amistad, en esa relación bien avenida de la compañía y la soledad.

POÉTICA

Hablar de la propia poesía es expresar los propios sentimientos, es descifrar las claves del secreto, aflorar lo más recóndito del propio ser. El yo poético que se oculta en cada verso, que se disfraza en cada frase. Llevar por su cauce a esa imaginación desbordada, conducir la cordura. Quitar interrogantes, abrir la puerta del espíritu, descorrer el velo sutil de la poesía. De la propia poesía, que dicen, es lo mejor de nuestro propio yo.

Algo tan valioso (para una misma), tan íntimo y tan hondo, tan personal, es difícil de clasificar, de describir.

Creo que, como el tiempo, que nos envuelve y transforma, como las circunstancias que nos rodean, así viaja nuestra poesía.

Al principio y considerando que desde que mi memoria alcanza, he escrito siempre, no era consciente de mi propia evolución.

Los comienzos fueron los clásicos balbuceos de párvula emborronando cuadernos de doble raya. Ya ahí estaba la incipiente nostalgia (que me acompañaría siempre) y la rima y el ritmo que me salía de oído y a su aire.

Después la nostalgia se haría más latente, y la fantasía, y lo etéreo. Poemas dulces, suaves, cantarines.

En la adolescencia aún conservaba algo de la infancia, que no quería despegarse del todo, aunque en ocasiones sorprendiera con cierta madurez, tal vez impropia. Pero los poemas empiezan a tener carácter, lirismo, fluidez, medida. Sobre todo son líricos, etéreos. Poemas que se elevan, que buscan lo intangible, que danzan. Musicales, sonoros, llenos de esperanza, frescura y sencillez.

Luego aparecen aquéllos de una juventud más plena, donde ya la poética cambia y se hace adulta. Entonces mi poesía es más cerrada, más hermética, más barroca también. La rima ha desaparecido por completo. Mi voz es ya el endecasílabo combinado con versos más cortos, logrando un ritmo y una musicalidad que a veces parece que riman. Todavía impera el lirismo, la fuerza de la metáfora, el romanticismo becqueriano, elementos del libro *Donde habitan gaviotas*, editado en 1986. A partir de ahí mi poesía adquiere más fuerza, más hondura. Los versos se estiran en endecasílabos aún más frecuentes. El ritmo es más pausado, más maduro, la sonoridad más suave. Son cadenciosos, aparecen menos metáforas y hay más sencillez. Casi exentos de barroquismo, con la palabra desnuda y sin afeites, pero, elegida. Elaborados con fluidez, con emoción contenida, y una personal fuerza en los finales. Recogen estas características los libros: *Semanario, El Llamador*, o *La otra mirada*, publicados entre 1987 y 1990.

Una excepción marca el trabajo de estos años, la elaboración de *El águila en el tabernáculo*, escrito justo en medio de estas fechas, donde el estilo, el tono, marcan un giro diferente.

El águila en el tabernáculo, libro épico, exento del yo poético, pero no de lirismo, es una historia, una narración poética, que difiere bastante, creo yo, del resto de mi obra. Los personajes se mueven como en un friso, recordando incluso, un poco el tono de la ópera. Nada intimista y absolutamente impersonal, en este libro prevalece la fuerza, acompañada de cierta ternura en algunos pasajes, y dramatismo teatral en otros.

Contrastando absolutamente en todo el libro en que me ocupo a continuación:

Hace ya tiempo que no sé de ti es un poemario, escrito en un tono completamente coloquial. Tierno, intimista, sencillo. Amargo y dulce a la vez. Fue un trabajo muy personal donde la emoción contenida y el recuerdo de la infancia hacen olvidar su contenido elegíaco. No fue editado, sin embargo, hasta mayo del 2000.

En la actualidad me muevo en una línea sencilla, que se proyecta al exterior con la fuerza de la palabra, sin retórica, con profundidad y algo de amargura. Los versos son más desgarrados, más profundos. Tan reales que se hunden en la tierra, pero con un atisbo siempre de esperanza, de elevarse. Permanecen musicales y fluidos, aunque este rasgo quede más diluido en la lectura.

No intento encuadrarme en un estilo, los temas me llevan a un tratamiento diferente en cada libro, en cada circunstancia. Así, *Por la escala de Jacob* recuerda al estilo de *El águila en el tabernáculo*, o también en algunos trípticos, de *Trípticos inmortales*. Pero en *Mujer sola* me acerco más a *Hace ya tiempo que no sé de ti*.

No me quiero definir con tendencias ni estilos, nunca me han gustado las etiquetas. Y aunque soy la misma escribiendo poemas infantiles, épicos, dramáticos o místicos, el resultado es muy diferente. Eso creo, aunque parece que al final se me descubre siempre.

Por destacar lo más sobresaliente de mi poesía, insisto en el ritmo, la musicalidad, la fluidez, cierta cadencia, sencillez, el tono de misterio, la sugerencia, la fuerza en los finales, donde el nudo se deshace, y la búsqueda de la belleza. En temas, reconozco como propios, el mar, los sueños, la esperanza, el tiempo, la nostalgia y las vivencias. Lo que se mueve a mi alrededor, lo cotidiano, la historia, los mitos, la amistad, los temas bíblicos, el amor a los animales y a las cosas, Dios.

La experiencia de lo vivido, la añoranza. El silencio de lo que no se quiere decir, la diferencia de un tema a otro. El clasicismo que se requiere en un momento. La modernidad en otro.

Al final la magia de la poesía te lleva. ¿Hacia dónde?

CUESTIONARIO

1.—¿Cómo se engendra tu poema? ¿Dónde? ¿Cuándo? ¿Por qué?

Creo que mis poemas se engendran siempre en momentos especiales donde existe una comunicación con mi propio yo, momentos de una cierta exaltación espiritual y de una paz interior que me llevan a elaborar mentalmente los versos, la idea. En la mayoría de los casos, el primer verso, al menos, da la pauta, el resto, luego, hay que trabajarlo. Por eso el lugar no puede ser concreto. El tópico de la luz de la luna, la visión del mar, etc., a veces ocurre, pero no necesariamente. Qué duda cabe, que la paz, la tranquilidad, la soledad, ayudan. Sin embargo, caminando por la calle, en una reunión, durante un viaje, puede surgir el poema, la idea, o los primeros versos. ¿Cuándo? El momento siempre es un momento de magia, en soledad o acompañada. Cuando la idea surge, tú estás sola con ella, aunque el poema te sorprenda, porque a veces te sorprende, si no lo «sujetas», lo «agarras», se te puede escapar. Y eso puede ocurrir en cualquier lugar y a cualquier hora, si bien creo que existe una predisposición y una actitud especial.

El por qué es muy difícil saberlo, tal vez, como he dicho antes, porque existe una predisposición o porque ocurre un hecho que te llama la atención y necesitas expresar lo que sientes. A veces te da vueltas en la cabeza hasta que no tienes más remedio que escribirlo, y esto puede ocurrir incluso en la cama al irte a dormir, y no tener más remedio que saltar de ella para plasmarlo y quedarte tranquila.

De todas formas es importante la disciplina, el ponerte, a ser posible, todos los días a una hora, o al menos con cierta asiduidad y aprovechar, sobre todo, ciertas etapas en que tienes el ánimo y la aptitud; cuando preparas un libro, por ejemplo. Pero en general, yo al menos, no tengo una regla fija.

2.—¿Crees que el ambiente influye en el poeta?

El ambiente influye; influye para trabajar el poema, para tener una claridad y una conciencia. Esto en cuanto a la hora de transcribirlo al papel. El momento de concebirlo es diferente, puesto que, a veces, la idea, parece que flota en el aire, como un virus que te ataca, como algo que te da en la cara o que se introduce en tu mente y ahí se queda esperando que le des forma. En ese momento seguramente el ambiente ha influido pero no eres consciente realmente.

El mito de un paisaje, o de un ambiente especial, no es siempre totalmente cierto, pero sí es verdad, que a veces, la contemplación de un lugar, o de un hecho que presenciamos, crea una atmósfera que nos induce, que altera la imaginación o la creatividad.

3.—¿Cuáles son los temas que te inspiran?

Los temas son tantos y tan diversos... eso es obvio. Personalmente yo opto por tomar la parte positiva de las cosas, si bien siempre con un tono de nostalgia. Mi tema principal se podría decir que es la nostalgia. Me centro mucho en el tiempo, en el pasado, en la ensoñación, en lo mágico, lo etéreo. El mundo que me rodea, que veo a mi manera, que siempre intento ver lo bueno de la vida. Me gustan los temas bíblicos, la mitología, me gusta el mar, las cosas cotidianas, los amigos, la propia experiencia, lo que me rodea, las vivencias y todo lo que surge, en suma.

4.—¿Cuándo empiezas a sentirte poeta?

No recuerdo desde cuándo me siento poeta, es decir, llamarme a mí misma poeta, porque la palabra siempre me ha dado respeto, incluso hoy día me lo sigue dando, pero sentir alma de poeta, creo que desde siempre, desde que escribía mis primeros poemillas en el colegio. Y mis compañeras me llamaban poetisa. Pero a mí la palabra me venía grande y extraña. Aunque en mi fuero interno yo no sabía más que ser poeta.

5.—Si tuvieras que clasificar tu poesía, ¿dentro de qué movimiento encajaría?

Clasificar mi propia poesía es, algo que nunca he querido plantearme demasiado, por aquello de las etiquetas, y también porque sabía que había una evolución y un cambio de registro según el tema elegido y la etapa de mi vida. Sin duda por encima de todo, he preferido siempre la sencillez y el lirismo, con reminiscencias clásicas, pero con un aire moderno y actual, no exento de simbolismo, fluidez y musicalidad. A veces, me han atribuido ser de la experiencia, pero otras, igualmente, me han encajado en la diferencia. Por encima de todo creo que impera el lirismo.

6.—¿Piensas que a la mujer poeta se le ha otorgado en el mundo literario el puesto que merece?

Siempre he sido bastante despistada y despreocupada, y quizá por ello de jovencita no me daba cuenta de que por ser una mujer poeta pudiera tener alguna clase de dificultad, después, la vida me ha demostrado lo contrario. A la mujer poeta no se le ha dado el puesto que merece; eso nos lo cuenta la historia. Hoy por hoy, poco a poco, va desapareciendo, afortunadamente. Como digo, al principio no era consciente. Tuve la fortuna de leer a Dulce María Loinaz, conocer personalmente a Carmen Conde y a otras grandes poetas, y me sumergí en ese mundo de la poesía femenina, de esas voces que para mí no tenían género. Ahora el género está ahí, pero empieza a respetarse más.

7.—¿Te consideras feminista en tus temas o en tu actitud?

Nunca me han gustado las etiquetas. Aunque sí soy femenina y, por ello, opto por defender mi género cuando no recibe un trato correcto. Por lo tanto, feminista, en mis temas, no sé si lo soy. Hablo de las personas que trato, independientemente de su sexo, si bien es verdad que tengo más trato con mujeres que con hombres, lo cual es, sencillamente circunstancial.

8.—¿Crees que la escritura poética tiene género?

En absoluto, son otras muchas cosas las que le dan carácter a un poema. Es evidente que si hablas de tu maternidad, por ejemplo, ello va unido, a tu género femenino, pero no así los sentimientos o la apreciación de la naturaleza, de una descripción de la misma, etc.

9.—¿Te sientes completamente libre en el momento de escribir, aunque seas mujer?

Sí me siento libre al escribir y, si en algún momento no es así, es por el celo de mi intimidad y no precisamente por ser mujer.

La libertad de expresión no reside en el género sino en la propia personalidad o circunstancia de cada individuo.

10.—¿Qué te gustaría lograr como escritora?

Todo escritor desea dejar constancia de su obra, este sentimiento es algo que todo artista posee, todo creador. Sin embargo, nunca me he planteado unos logros concretos. Escribir es algo esencial para mí, es mi modo de vida y una adicción. No obstante, soy consciente de que cada día ha de suponer una superación, porque es mi responsabilidad dejar tras de mí una obra digna.

SELECCIÓN DE POEMAS

LA FIESTA

La fiesta se avecina, el traje está preparado.
No hay fiesta.
El carmín de mis labios, sobre la calurosa.
Aquí estoy.
La memoria me alcanza, para mi mal, al centro.
Sigo aquí.
Soliloquio de versos, y la esperanza a plazos.
Sólo yo.
Vuelvo a andar los caminos de regreso a la fuente.
Distancia.
Y cuanto más me acerco más se me desvanece.
Fantasmas.
Ver entre bastidores la función que comienza.
Aplausos.
En mi nombre su tilde, y su significado
a cuestas.
Siempre el traje en su percha, aunque pase de moda.
Dispuesto.
La gran fiesta del año, la que necesitamos:
circense.
Las palabras se ahogan en el mar de la nada.
Monedas.
Judas vuelve a la carga. La liturgia en la mesa.
Traiciones.

Tarjetas nacaradas. El baile de la suerte.
Avisan.
Para engrosar las filas: soldados a la Guerra.
Los rifles.
Y armadas a la fiesta, se van los que llegaron
desnudos.
Ya desde la barrera los toros torearon
¡¡Toreros!!

[De *Segundo acto, escena cuarta: mujer sola*, inédito]

SE despojó del casco
limpiaba el rostro
De sudor y de hollín

Se vestía Masada
igual que luna nueva:
de un resplandor rojizo.

Attio tomó en sus manos
el polvoriento casco
que Silva le tendía.

Ordena retirada.

Mañana, mañana
tomaremos esa roca.

[De *El águila en el Tabernáculo*, 2001]

Hoy que escribo hace un año que no nos hemos visto.
No frecuentas lugares por donde yo me encuentro.
De mi casa a la tuya cruza el jardín un puente:
pero nunca nos vemos, y nunca coincidimos,
ni tu voz tan siquiera pregunta por mi vida.

Cuántas veces —seguro— te has sentado a la mesa
y has echado de menos mi pregunta: si gustas
un poco de más sopa, o quieres que te sirva
un plato diferente. Cuántas veces —seguro—
al llegar la mañana me has echado de menos.

Nadie llevó a tu cama —la bandeja dispuesta—
el frugal desayuno que siempre acostumbrabas.
Tal vez ya has olvidado las tardes de domingos
—tendido en la tumbona— rey de la paz y el tiempo.

Hoy haces otras cosas, pero aquéllas de entonces
no volverán —seguro— como las golondrinas,
como el aire primero, como la nueva luna.
No volverán —seguro— roque es agua enterrada.

[De *Segundo acto, escena cuarta: mujer sola*, inédito]

JAVIER

TEMBLANDO como un pájaro
esta tarde ha venido.
Era mi amigo.
una camisa clara de algodón
sobre el cuerpo tan frágil y tan fuerte.
Entre sus manos, como siempre,
unas blancas cuartillas.

Es un poema duro, muy duro,
me dijo.
Y ya fueron sus ojos como fuego,
aunque con la sonrisa insegura
y con el medo hermano que su frente invade.

Ávido de ternura
me contaba las cosas de la muerte
—que le ronda sin tregua—
y ha confesado todas sus mentiras
por miedo a la condena.

Sobre la mesa me ha dejado
un libro de Cernuda,
y me dice que es mío,
y yo, ni lo recuerdo.
Y un regalo: otro cuadro
pintado por él mismo
que me sugiere un exótico pájaro
tan extraño y tan bello…

indescifrable, único.
Salido de sus manos
Y de los sueños viajeros de la tarde
en que ha venido
perdido como un náufrago.

[De *Con nombres propios*, inédito])

[Libro inédito. El poema figura en el libro conjunto: *Versos para un milenio*, Granada, 2000.]

«Dormir, soñar, tal vez morir»

Shakespeare

Dormita en su sillón, la frente alzada,
sobre el pecho las manos,
enlazados los dedos con los dedos,
sin gesto de abandono.

Tensa el arco en los dientes
el problema interior,
como la nube densa,
y la mente cabalga sin fronteras.

Le miro, y una angustia tenaz
clava las uñas
en el arpa que guardo en mi garganta.

Así le vi después, con ese gesto,
como si aún la vida
tuviera posesión sobre los sueños.

[De *Hace y tiempo que no sé de ti*, 2000]

Está la muerte aquí
pájaro leve,
se adentra por las sombras
y se oculta
detrás del antifaz
de su sonrisa.

Por la abertura asoma
enguantada su mano
sigilosa.

Está la muerte aquí,
lleva un anillo
y un escarpín de raso.
Avisa con tarjeta nacarada
su inminente visita.

Está la muerte aquí,
y pide hora,
a corto plazo,
que le urge
el cántico final
y no dimite.

Está la muerte aquí,
está la muerte aquí,
codo con codo.

[De *Fe de vida*, 1996]

Y recordó de pronto
cuando viera sus ojos
por la primera vez
entre otros ojos,
océano de ojos suplicantes.

Pero ella alzó la vista,
Rosa de Alejandría
la perfumada rosa,
obsequio de Cuadratus
el egipcio.

Amanece
Sheva finge dormir.

La tienda se despierta
con un vago sabor
a bergamota.

[De *El águila en el Tabernáculo*, 2001]

«...de este cuerpo eres el alma
y eres cuerpo de esta sombra»

SOR JUANA INÉS DE LA CRUZ

UNA sombra se alza por mi espalda
como ola que avanza y se transforma,
como arco de luna hacia delante.

Una sombra ceñida a mi cintura.
Sobre mi vida está, sobre mis pasos.

Una sombra que persigue mis sueños
cabalgando en las lunas de mis noches.

Una sombra que nubla la memoria
como manto cubriendo claridades...
Compañera por siempre hasta la muerte...

[De *La sombra*, 1998]

¿Quién eres tú, memoria que me acosa
y me incita a vararme en cada playa?

Voy a dejar en blanco los recuerdos.

He comprado un cajón maravilloso
con cerradura doble de candado.

Nada traspasará a su fiel materia.
Todo lo ocultarán sus oquedades.

Anulado estará lo que he vivido.
Andará el corazón latiendo dentro...

y yo —loca de mi— ¡inmemoriada!

[De *La sombra*, 1998]

LAS CAMPANAS

COMO un dulce tormento me convocan
sus voces de metal, lenguas de acero
y con su extraño canto vivo y muero
de recuerdos quemándome la boca.

Las nubes en tormenta desembocan;
se acerca amenazante el aguacero.
Un halo de nostalgias, un reguero
de sueños que me arrastran y dislocan.

Un baile de vehemencias por el cielo
cuando yo me reclino en la ventana.
Los pájaros del alba en leve vuelo.

Al son de los repiques se desgranan.
Mis pies están pegados en el suelo
Envuelta en soledades y campanas.

[De *El tiempo*, en prensa]

SECRETO

DE su nombre quedaron las vocales
como la sombra helada del secreto,
desvalidas las sílabas proclaman
en un absurdo mar de olas ambiguas.

Aún no se han clausurado los minutos
ni las noches alcanzado su cenit,
pero quedan las notas envolviendo
la musicalidad de la palabra,
insondable, de ornatos misteriosos.

[De *Donde habitan gaviotas*, 1986]

COMENTARIOS

La misteriosa presencia de un padre ausente

La colección de poesía Plaza Mayor del Ateneo de Málaga, iniciada en mayo del 2000, alberga la última creación lírica de la poeta malagueña Inés María Guzmán: un poemario dedicado a la figura de su padre que recibe por título *Hace ya tiempo que no sé de ti* y que inevitablemente trae al recuerdo, por su tono elegíaco y por lo que de exaltación de la figura paterna contiene, las famosísimas «Coplas» de Jorge Manrique.

Cuando se cierra la última página del libro finaliza también la última página de una existencia, de una peregrinación por la vida que ha declinado dejando a su paso huellas imborrables: «A veces (afirmaba Mercedes Salisachs en su *Gangrena*), los objetos que los muertos abandonan resultan más elocuentes que sus propios dueños.» A través de ellos la figura del padre ausente lo inunda todo y al estilo de un Marcel Proust en A la *recherche du temps perdu*, la poesía de la autora se deleita en la mirada de las cosas como si éstas poseyeran el poder de retornar al padre perdido.

Por eso el poema es circular —comienza y acaba del mismo modo—, como si todo él constituyera un único canto que quedase detenido en el tiempo. Y es precisamente la manera de trabajar la categoría del tempo lento en estas coordenadas de presencia-ausencia lo que más destaca en la obra, como signo que evidencia la progresiva evolución técnica de su creadora.

El tiempo se erige en el auténtico protagonista de la poesía. Su continua presencia se advierte tanto en el nivel formal como en el temático: la presencia del reloj —leiv-motiv reiterado— presupone la angustiosa espera de la muerte, pero en este devenir pasado, presente y futuro (también el futuro que se extiende a una vida más allá de la muerte) conforman un todo unitario que se resuelve en la «existencia».

Hace ya tiempo que no sé de ti consta de dos partes bien diferenciadas: simétricas entre sí (cada una compuesta por nueve poemas). La primera parte describe unas escenas cotidianas —casi costumbristas— de la infancia de la autora que recuerdan la técnica teatral o incluso cinematográfica (se nota que Inés María es actriz) al proponer la cámara distintos planos evocativos protagonizados por la poeta-niña, al abrigo siempre de la presencia protectora del padre; mientras que la segunda (sita en una temporalidad más cercana) se centra en los momentos inmediatamente anteriores y posteriores a su muerte. Ambas se encuentran enmarcadas por sendos poemas que actúan como prólogo y epílogo y que podrían considerarse un todo dividido en dos. Éstos han sido realizados en tono epistolar —íntimo y confidencial— y van dirigidos a un tú receptor: el propio padre de la poeta, a quien se efectúa un insistente requerimiento: «¿Podrías enviarnos una carta?»

El primero de los poemas prolonga el tono epistolar del prólogo: «No sabría memorizar mi infancia / sin dibujar tu nombre junto al mío ...». La autora sigue dirigiéndose a su padre en un estilo directo y familiar, aunque a partir de este momento el diálogo ya no vuelve a retomarse hasta la segunda parte, donde se recupera en el poema tercero, cuarto, séptimo y octavo, culminando en el epílogo. El matiz epistolar confiere al poema —como diría Kayser— «carácter dramático» porque se establece contacto directo entre el lector y la realidad poética, relación semejante a la del espectador en el teatro, factor que se agudiza si se tiene en cuenta el elevado componente autobiográfico del mismo.

Al emplear el tono conversacional, el yo poético permite un rico juego con respecto al destinatario. La figura paterna no permanece silenciosa pese a todo —incluso pese al silencio que inflige la muerte—. Su temperamento entra en juego en todos los momentos más vividos del recuerdo de la hija. La autoridad del padre, su fingida distracción ante los errores de la hija, su cuidada puntualidad... emergen en la poesía como rasgos temperamentales que vitalizan al protagonista. La poesía de Inés María se convierte en ocasiones en un diálogo del que sólo escuchamos una voz (según la terminología de Tacca) pero el lector se siente capaz de imaginar «las réplicas de ausente», sus acciones, movimientos y hasta, a veces, su entonación.

De este modo la voz poética aumenta la capacidad sugerente y evocadora de la poesía.

El carácter elegiaco de la obra comporta la innegable exaltación del padre: «levantar la memoria, / fábulas y leyendas / y mágicos relatos, / es sólo mi consuelo del instante» —declara en su poema la autora—, pero no se prodiga en elogios. La auténtica alabanza consiste en la pretensión de recobrar su «necesaria» presencia a través de la poesía.

Rezuma el poema de imágenes sensoriales; olfativas: «La tarde [...] huele a manzanas verdes / y a romero en flor»; visuales: «ese verde tan raro y peculiar/ —el caqui— / presidiendo mi vida»; táctiles: «Los pies templados por el dulce calor / del cisco cobijado en la copa»... El estilo es sobrio, sin preciosismos. Cabe mencionar la tensión creativa que origina el comienzo misterioso de algunos poemas, así como la concentración del sentimiento en los finales y aunque algunos poemas repiten situaciones semejantes, no decae el interés de la lectura. *Hace ya tiempo que no sé de ti* confirma, pues, la presencia poética de Inés María Guzmán, un camino que no se interrumpe en calidad literaria y humana.

[Encarnación Laguna Conde]

Comentarios sobre la obra de Inés María Guzmán

Alfredo Taján, poeta, novelista y crítico de Arte

«Voz poética independiente, cálida en sus interiores, voz que si me susurrara al oído lo que advierte, describe, o insinúa con ánimo perpetuo, me donaría la paz [...]. Los versos de Inés María Guzmán exhalan ardientes pasiones como profundas veladuras, y de esa contradicción, sujeta a un estilo pulcro y en constante perfeccionamiento...»

Fernando de Villena, poeta, crítico y profesor de Literatura

«*Hace ya tiempo que no sé de ti*, pese a su temática elegiaca, nos resulta un libro positivo, gratificante. Su autora posee una admirable capacidad de evocación y a la vez de despertar las evocaciones del lector ... En cuanto al estilo, Inés María Guzmán consigue una sencillez y una musicalidad nada comunes.»

Lola Molina, filóloga, poeta y articulista
«Leído y releído el poemario de Inés María Guzmán, *Fe de vida*, no es posible detectar ningún tópico, nada de las palabras "al uso". Sí, es poesía de la experiencia, la suya, la propia, que no la ajena.»

BIBLIOGRAFÍA

Publicaciones (obra poética)
Garvayo gráfico. «Brisas». Prólogo de José M.ª Amado. Illustraciones de Cristina y M.ª del Carmen Guzmán. Málaga, 1975.
Y el verso se hizo niño. Ed. Timun Mas. Prólogo de Daniel Vindel, Declarado por la UNICEF de Interés para el niño. Aparecen poemas del mismo en fibras de Texto de 14. Ed. Anaya. Ilustraciones de Cristina Guzmán. Barcelona, 1978.
Cuadernos de Raquel. «Paréntesis». Edición de Ángel Camarena. Publ. de la Librería Anticuaria El Guadalhorce. Imprenta Dardo. Málaga, 1980.
Azul y Tierra. «Donde habitan gaviotas». Poesía Corona del Sur. Prólogo de Jorge Guillén. Málaga, 1986.
Cuadernos de Raquel. «Semanario». Edición de Ángel Camarena. Publ. de la Libr. Ant. El Guadalhorce. Prólogo de Rafael Perez Estrada. Viñeta, Ángel Camarena. Málaga, 1987.
Papeles de Poesía. «El llamador». Excma.Diputación Provincial de Málaga. Ilustración de Miguel Velasco. Málaga, 1988.
Ciclo Antológico de Poesía Ateneo de Málaga. «La otra mirada». Trascrito al Sistema Braille por la ONCE de Málaga en una segunda edición. Málaga, 1991.
«Cuaderno antológico de Centro Cultural de la Generación del 27». Prólogo de Antonio Jiménez Millán. Fotografía, Pepe Ponce. Málaga, 1992.
Aula de Literatura José Cadalso. «Cuaderno de literatura». Delegación de Cultura del Ayuntamiento de San Roque. Prólogo de Rafael Inglada. San Roque, 1993.
Consejeria de Educación y Ciencia. *Cuaderno antológico: poetas en al aula*. Junta de Andalucia. Sevilla, 1995.

Colección Llama de amor viva. «Ni el mirto ni el laurel». Edición de Rafael Inglada. Ilustración de Pepe Bornoy. Málaga, 1995.
Hebe Ediciones. «Fe de vida». Málaga, 1996.
El Aula. «Tríptico de Dios». Málaga, 1998.
Área de Cultura de la Diputación de Málaga. «La sombra». Ciclo Lecturas poéticas en institutos. Prólogo de Antonio Bernal. Fotografía de Ignacio del Río. Málaga, 1998.
Ateneo de Málaga. «Hace ya tiempo que no sé de ti». Colección Plaza Mayor. Palabras previas de Enrique Baena, Rosa Romojaro, Matilde Moreno, Bienvenida Robles y Cecilia Belmar. Ilustración portada Manuel Velasco. Málaga, 2000.
Colección Palabras Mayores. «El aguila en el tabernáculo». Editorial Alhulia. Prólogo de Enrique Baena. Granada, 2001.

En prensa
Obra Socio Cultural de Unicaje. «Por la escala de Jacob». Prólogo de Encarnación Conde. Ilustraciones de Víctor Puyuelo.
Certamen Giner de los Ríos. «El tiempo». Ayuntamiento de Nerja (Málaga) Prólogo de Lola Molina.

Inéditos
«Trípticos inmortales».
«Acto segundo, escena cuarta: mujer sola».
«Con nombres propios».

Antologías
Caracola. Málaga, 1975.
Autores actuales del campo de Gibraltar. La Línea (Cádiz), 1979.
Verde blanco. Málaga, 1979.
El Campo de Gibraltar en la poesía española. Jerez (Cádiz), 1979.
Yo, poemas autógrafos. Centro del 27. Málaga, 1987.
Poetas en Málaga. Málaga, 1995.
Artistas y escritoras contemporáneas andaluzas. Málaga, 1997.

Colaboraciones
Diversas revistas especializadas como:
Caracola, Álora la bien cercada, Batarro, etc. y libros homenajes a autores, o algunas plaqués, opúsculos, y demás.

Aurora Luque

BIOGRAFÍA

Aurora Luque Ortiz nace en Almería en 1962. Es profesora agregada de Griego en el IES «Miraflores de los Ángeles» de Málaga con destino definitivo en el Centro desde 1992. Dirige la colección de poesía «Cuadernos de Trinacria». Codirige con el poeta Jesús Aguado la colección «MaRemoto» de poesía internacional. Pertenece al consejo de redacción de la colección de poesía española «Puerta del mar». Colabora como articulista de opinión bisemanal en el *Diario Sur* de Málaga desde abril de 1999. Así mismo colabora esporádicamente en la prensa literaria (*Clarín, Hélice, El laberinto de Zinc, Atlántica,* etc.). Pertenece a las siguientes asociaciones: Miembro del Seminario de Estudios Interdisciplinarios de la Mujer de la Universidad de Málaga (SEIMM). Grupo de investigación «Traducción, literatura y sociedad» del Departamento de Traducción e Interpretación de la Universidad de Málaga. Miembro del Consejo Asesor del Centro Cultural "Generación del 27" de la Diputación de Málaga. Miembro del Consejo Asesor del Centro de Publicaciones de la Diputación de Málaga (CEDMA). Es licenciada en Filología Clásica por la Universidad de Granada. Su memoria de licenciatura titulada «Poesía escrita por mujeres en la Grecia Antigua: épocas clásica y helenística», fue leída en Granada en 1987. Realizó los cursos de doctorado del bienio 88-90 del Programa «Los géneros literarios grecolatinos y su tradición», en el Departamento de Filología Clásica de la Universidad de Málaga. Cursos de Griego Moderno de la Universidad de Atenas. Certificado de Aptitud de la Escuela de Griego Moderno de la Universidad de Tesalónica. Curso de Lengua Griega Moderna de la Escuela de Griego Moderno de la Universidad de Tesalónica, dentro del programa LINGUA de la UE. Cursos primero, segundo, tercero y cuarto de Griego Moderno de la Escuela Oficial de Idiomas de Málaga. Francés: estudios a lo largo de nueve cursos.

POÉTICA

[En cuanto a la cuestion de Poética, Aurora Luque prefirió enviarme el Cuestionario que adjunto a continuación por considerar que en las respuestas están incluidas ampliamente sus ideas sobre poesía. He conservado la numeración de las respuestas tal cual se me fueron enviadas.}

CUESTIONARIO

[La poeta prefirió que se incluyera este formato de entrevista. La autora respeta su intención. Solamente se me proporcionaron las respuestas. Las preguntas se intuyen.]

Entrevista para la revista *Clarín* [Oviedo, 1998]
2.—En una de las secciones de *Carpe noctem* —El último titán— abría una línea de indagación en los límites del lenguaje y del poema para dar cabida a las formulaciones del deseo; esta vía, *metapoética* en cierto modo, no la he continuado en *Transitoria*. Por otra parte, he dejado a un lado los temores hacia cierto tipo de narratividad que he ensayado en poemas relativamente largos. Por último, cada vez soy más consciente de lo inviable que resulta intentar prescindir de una apoyatura sensorial, de un andamio casi siempre *visual* para el poema. Cuando pienso en alguno de mis poemas el primer acercamiento, aunque sea pasajero, es una percepción visual: una caja de fruta, un mar que hiere la vista, un hombre insomne.
3 y 4.—Tránsito era hermana de un bisabuelo paterno. Vivían en Granada, en la cuesta Gomérez, en la última casa junto a la Puerta de Machuca. Tránsito simboliza —creo— lo intransitivas que son las vidas, la discontinuidad de la memoria. A duras penas sobreviven los nombres propios. Cualquier objeto puede tener la suerte de durar más: poseerá un lenguaje autónomo. Produce escalofríos pensar que el libro que compras cualquier tarde —*tu* libro— o una prenda de vestir —*tu* ropa— puede llegar a quintuplicar por ejemplo la du-

ración de la vida de tu carne y de tu cuerpo. Hay otro plano en el poema: el de la infancia que descubre los restos de esa historia indescifrable. Me hubiera gustado tener talento para hacer una novela con todo este material. Pero el núcleo que me importaba era de carácter elegíaco. Fui consciente de un riesgo: tenía que asumir las referencias granadinas o desenraizar los elementos del poema. Todo podía sonar a un mal eco de la Doña Rosita lorquiana. El poema quiere ser una escueta descripción arqueológica: hace un análisis de los restos, una cala en los estratos mudos, un registro de los objetos perdidos, los posibles mensajes de una mujer de un siglo a otra mujer del siglo siguiente.

5.—En *Los países nocturnos* de Carlos Marzal hay dos poemas, «Fotografías del XIX» y «Los restos de un naufragio» que consiguen con un dominio de medios y una limpieza admirables los objetivos que yo quise para el poema *Transitoria*. Esa nostalgia de la que hablas es tan antigua como la poesía misma. Que aflore en estos libros recientes y pueda parecer una moda se debe a que los poetas citados —indudablemente de moda— exploran esa mirada retrospectiva con las estrategias aprendidas en tres lustros de poética de la experiencia (o llamémosla mejor figurativa ya que estamos en Asturias...) Éste es su punto de partida. Creo que esta tendencia responde a una necesidad urgente, más o menos confesada, de escapar de las propias redes, de los vicios de escuela... *El equipaje abierto* de Felipe Benítez Reyes es ejemplar en este sentido: hay una búsqueda, un desplazamiento. Otros *hermanos mayores* de la otra sentimentalidad no se han movido ni un centímetro...

9.—A la edad de mis alumnos no se sabe lo que es una lengua, ni viva ni muerta. La inclinación hacia la poesía —griega o inglesa o eslovena— es una pasión y a los dieciséis años las pasiones no tienen cauce ni forma ni nombre. Se autodescubrirán más adelante.

Siento que cierran una etapa. Los estudios clásicos llevaban casi medio siglo de pujanza saludable en España, desvinculados de la Iglesia, en esa línea lúcida que arranca con un Adrados o un Luis Gil. Ha habido poetas como Luis Alberto de Cuenca y Juan Antonio González Iglesias, también filólogos y traductores. Se han publicado bastantes traducciones nuevas, solventes y asequibles de poetas antiguos: por fin no es difícil encontrar Catulos y Tibulos de bolsillo. Pero esta línea se quiebra: deja de haber alumnos, no habrá lectores. Los nuevos planes de estudios, sin atención a la cultura clásica, son de una barbarie ejemplar.

12.—Estoy cansada del tema de las antologías. Sé por experiencia que muchos lectores te conocen a través de ellas, pero no por la bondad del formato, sino por su mayor presencia en las librerías. Los libros individuales apenas se reponen. Pasan fugazmente —si es que pasan— como novedades por las librerías. Las antologías resisten algo más. Todas no valen: son irritantes las que se hacen desde el rencor, y yo lamento el haberme dejado invitar en alguna de este tipo.

La antología de Noni Benegas es un correctivo temporal. Espero que sea la última antología de mujeres necesaria y que deje de hablarse de cuotas. Espero también que deje de existir esa misoginia negra de la que alardean algunos poetas por lo general algo ancianos y caducos.

13.—Cuidado: no utilicé la palabra *diferencia*. Usé *heterogeneidad y disonancia*. Yo no me bajo al patio. Tampoco hablé de una corriente canalizada imperante. Me refería al caudal que cada antólogo por el hecho de serlo canaliza en su selección.

En este asunto tiene razón Olvido García Valdés: no existe la poesía femenina, sólo hay poesía de mujeres. Dentro de algunas décadas estas discusiones resultarán muy divertidas y comprobaremos cuánto tiempo se perdió en ellas. En menos de quince días tres amigos en tres jurados literarios diferentes han premiado sin saberlo obras escritas por mujeres. Después han dicho: «Juraría que era de un tío. No parecía de una mujer.» Los tópicos están en las cabezas de mis amigos: en un caso se premió un relato de canibalismo, en otro se trataba de poemas con pretexto deportivo. Se espera que a las mujeres *se nos note*. Las escritoras jóvenes no se arredran ante los Grandes Temas. Por fin hacen lo que les da la gana. Además enriquecen los textos incorporando territorios de experiencia de mujer que no han sido *dichos* desde cierta perspectiva.

18.—Un poeta que empieza y quiere publicar su libro tiene dos opciones: pedir una entrevista a un editor que con mucha suerte y tras muchos ruegos le hará un hueco en su catálogo al cabo de dos años o presentarse a un premio. Optar a un premio es un gesto neutro: no hay que pedir nada, sólo aceptar unas bases y jugar desde tu casa. Si lo ganas no le deberás nada a nadie. Debe ser muy incómodo tener deudas en este sentido, deberle la vida literaria a tal o cual editor o al amigo del editor que te hicieron el gran favor de publicarte. La variedad de premios con editoriales solventes detrás permite hoy contar con algunas posibilidades. Sólo un iluso, claro, esperará ganar un primer premio. (Aquí me consuelo con Cervantes y aquellas palabras del Caballero del Verde Gabán. Por cierto, ¿has leído a Van-Halen...?) No es difícil quedar finalista. Los accesits son mi especialidad.

Un premio no es nunca una garantía de reconocimiento crítico; sí es una llamada de atención pasajera que avisa a los lectores. La poesía casi no cuenta con otro tipo de lanzamientos. Algunos poetas amigos que han publicado en Tusquets se maravillan, incrédulos, porque los tratan «como a novelistas». Qué paradoja: su libro permanecerá posiblemente más tiempo que las cien novelas que se lanzaron con todo el aparato en los mismos meses.

6.—¿Dos civilizaciones? La lejanía temporal no tiene por qué convertir el pasado en un territorio exótico. Los griegos seguimos siendo nosotros. Si la gente leyera a Tucídides comprobaría con qué lucidez se analizaban hace 2400 años los mecanismos de una democracia imperialista. A mí me interesa la poesía de los griegos y esa impresión, ese olor a recién fabricada que tiene su literatura. Hubo intermediarios en mi relación con ellos: el fervor se lo debo a Hölderlin, a Keats, a Cernuda. Estos fervores creo que nadie los puede elegir. De pronto te ves inclinada hacia unas lecturas y no hacia otras.

7.—Las ménades, con las que exploro lo que de dionisiaco pueda quedar en nosotros. El centauro, su medio cuerpo de animal noble y su otra mitad humana, como la poesía misma... Las amazonas, tan misteriosas. Y luego, todo lo odiseico, cifra de todos los viajes: la Odisea es el libro más elástico de la literatura.

8.—Conozco a Josefa Parra sólo por sus poemas en *Ellas tienen la palabra*. Me gusta la factura de sus poemas, la manera de resolverlos, la tersura de las palabras. Creo que ella se acerca al mundo clásico por la vía romana, de la mano de Ovidio tal vez. Pero es sólo una impresión.

10.—Coincidí con ellos en los pasillos de la Facultad y en el bar. Álvaro Salvador me animó cuando publiqué *Hiperiónida*, un libro que presenté al mismo tiempo que Ángeles Mora presentaba *Pensando que el camino iba derecho*. Su manifiesto estaba lleno entonces de vitalidad, de propuestas nuevas y de convencimiento. No hubiera sido difícil enrolarse. Pero a mí me desengañó la cara dogmática del programa: dentro de las aulas, una profesora imponía las lecciones de Juan Carlos Rodríguez como si fueran mandamientos: «la literatura no ha existido siempre, el yo comienza con Garcilaso.» Algunos alumnos replicábamos: «¿Y de qué hablaba entonces Catulo?» Y la profesora, en lugar de aclararnos, protestaba: «¡No me volváis a hablar de griegos ni de romanos!».

11.—Todo escritor parte de una o varias tradiciones. Estas tradiciones han sido, hasta hace muy poco, un *asunto entre caballeros*. En sus lenguajes la mujer es objeto, pretexto o musa, y los modos de decir el deseo y de expresar la experiencia son casi exclusivamente masculinos (todo el petrarquismo, por ejemplo). La mujer que se incorpora a la escritura debe perder un tiempo precioso justificándose, legitimando su autoridad. La historia literaria canónica no incorpora los logros, las aportaciones de las escritoras. Hay sólo esfuerzos discontinuos. Juan Manuel de Prada se halla ahora en plena faena de rescate de una poetisa de nuestro siglo. Hay muchos otros rescatadores menos famosos: será porque hay algo que vale la pena rescatar.

14.—La poesía de la experiencia ha aportado a la lírica de la década de los 80 un tono peculiar, de época. Las propuestas no eran excesivamente novedosas, pero los distintos componentes han cuajado en una fórmula estética coherente. Los poetas de este grupo son tan amigos entre ellos que se resisten a reconocer la mediocridad de algunos nombres que se amparan en sus filas (hay libros que son verdaderos bodrios) y la eventual bondad de los textos ajenos a sus presupuestos. Ese espíritu de grupo les resta lucidez y les lleva a publicar poemarios de —a veces— una homogeneidad tediosa. Yo reconozco —y he utilizado— la validez de algunas de sus propuestas (el tono menor, el escenario urbano, el juego de ficción de los pronombres, la incorporación de elementos cotidianos que no habían entrado antes en el poema...) pero como programa no me interesó asumirlo en sus comienzos; ahora es una propuesta ya agotada.

17.—Las colecciones de bolsillo son operaciones de marketing que ofrecen poesía en estos últimos tiempos porque necesitan productos exóticos y poco vistos para vender. La persona que compra un librito de poemas en el kiosco comprará el mes que viene, dócilmente, un fascículo de gastronomía japonesa. No soy muy optimista. ¿De qué sirve que un joven de dieciséis años compre una selección de Neruda por 300 pesetas? Nadie le va a enseñar a disfrutarlo. En los institutos, donde antes se daban clases de literatura y latín, ahora se ofrecen cursos de cultivo acuícola, conserverías cárnicas o buceo a media profundidad. La degradación de la enseñanza es absoluta.

20.—No hay cosa más patética que un escritor enfadado con el mundo por un asunto de metáforas. Pero es cierto, a veces los poetas se pudren de rencor. El buen ambiente de Málaga es cuestión de buena suerte y de tolerancia digamos estética. Tener amigos poetas, que los poetas que estimas sean amigos con los que conversar en algún bar por la noche, es un verdadero don. Se aprende mucho.

21 y 22.—Precisamente porque son tan buenos en su campo no es fácil atreverse a medirse con ellos. El listón está muy alto. En los últimos meses he escuchado a esas sirenas casi todos los días: ¿Cuándo te pasas a la narrativa? ¿Cuándo sacas la novela?... No existe ninguna novela. El relato es más afín a las costumbres de los poetas. A mí lo que me gusta hacer entre libro y libro de poemas es traducir poesía, pero eso casi nadie lo entiende como creación. Tengo una versión de las elegías y los sonetos de Louise Labé, y un proyecto de antología de poesía griega contemporánea por el que se ha interesado ese editor riguroso que es Sergio Gaspar. Algo que me fascinaría sería escribir libros de viajes, pero el mundo está ya tan visto...

SELECCIÓN DE POEMAS

LA METAMORFOSIS INCESANTE

FIL 1111,0 INFINITO

Se oye un fragor al fondo: crujen las inmundicias, los escombros, los huesos. Pero desde la pared contigua, el mugido de Minotauro es una pura secreción de melancolía sin cauce y sin lenguaje. Imagina a Ariadna ajena al día, compartiendo la ceguera, sintiendo la tensión del ovillo en sus manos, sentada bajo el sol, los tirones, la suave resistencia, la búsqueda iniciada desde su regazo. Cómo pone el amor luces a un laberinto. Cómo inventa las redes que sujeta el caos.

Espacios fragmentados. El hilo de Ariadna, incandescente, repta por las esquinas de estancia en estancia. El amor siempre está hecho del hilo de Ariadna.

MULTIPLICACIÓN DEL LABERINTO

DESCRÍBEME tu viejo laberinto. ¿Es cierto
que existieron mil trescientas estancias donde
no detenerse?

El ansia de salir hace los laberintos. Las ci-
fras nunca han sido un utillaje tan insuficiente como en su interior. Has perdido la noción
de los umbrales atravesados: una y otra vez
el mismo espacio fragmentado se te ofrece al
fondo. Quisieras creer que tus pasos van di-
bujando un círculo, pero algo te da indicios de que nadie vuelve a pisar sus propias
huellas. Huele a piel mal curtida y a fuente
subterránea e imparable.

Pero los laberintos sobreviven multiplica-
dos, microscópicos y tenaces en la arena
pisada, en el juego amoroso, en la palma cua-
jada de jeroglíficos... El tiempo mismo ha
adquirido cualidades laberínticas. ¿Acaso no
hubo ya un laberinto insondable entre los
resquicios de la arena cuando Europa y su
raptor pisaron Creta, la isla aparentemente
compacta?

Construiré laberintos para encerrar el tiempo: que equivoque su curso, que desdibuje su
matemática. Oirás su mugido, su desvarío
atroz.

El laberinto encierra viajes a laberintos sucesivos más secretos y más hondos. Dispone de ventanas, pero nunca se asoma el prisiónero porque le lacera después la silueta imposible de la luz, el tacto impenetrable de la aurora.

[De *Ateneo de Málaga*, 1994]

LA ARQUITECTURA DEL DESEO

EL deseo: nefasta construcción, sin indicios de habitabilidad, que se levanta dentro del cuerpo sin cimientos previos. (¿Quién podía intuir tantos solares aptos y replegados.)

El deseo: laberinto con una instalación de alarmas que traicionan.

El deseo: laberinto enmarañándose desde un roce de lenguas hasta un mar que inunda islas.

Insiste el laberinto. Luces impenetrables y un sopor amarillo van cegando los corredores. No hay monstruo más hermoso que el amor acosado.

[De *Ateneo de Málaga*, 1994]

PALINODIA DEL MAR

Europa no siguió nunca al toro. Hasta ese
instante había asido sus cuernos resplande-
cientes con una rabia instintiva, pero advirtió
de pronto que sus Palmas, sudorosas, podían
resbalar y liberarla del terror de aquel viaje.
Su cuerpo, hinchado y envuelto en jirones, lo
depositaron las olas en una playa absolutamente vacía. Nunca existió otra playa orna-
mentada con tan abrumadora soledad: la soledad de la otra cara de los mitos, la de la
narración en germen que no alcanza lenguaje.
Traía, enredadas en los tobillos, dos larguísimas pulseras de algas que descendían
casi hasta el fondo; oscilando en el agua enre-
daron a alguna líquida criatura submarina.
Ese cuerpo flotante... ¿cómo no acariciar con
abrazos de escamas ese vientre? Pudo estallar
toda la sombra del fondo en ese momento.
Pero todos acallaron más tarde el fracaso de
Zeus. Un delfín fue a morir entre los muslos
de la muerta. Acaba de morir, suicidado, cuatro mil años después —hoy— en una arena
sucia del regazo de Europa.
   El resto de la leyenda es una falsa y fas-
cinante palinodia del mar.

[De *Metamorfosis incesante*, 1994]

EL COLOR VEHEMENTE

UNA metamorfosis previa de los colores: el peplo púrpura de Europa se hincha al viento, el aire lo va calando, lo deshilacha, lo constela de luto, de sabia negación. Cuando Europa pisó la playa caldeada de Creta vestía unos jirones de mantilla anudados al vientre, goteantes de mar, como sus pechos. El animal raptor, como homenaje, se viste también de negro. Sudor y helado salitre irían disolviendo la memoria de Europa.

[De *Ateneo de Málaga*, 1994]

LOS SUEÑOS CONCÉNTRICOS

Los sueños sucesivos de Europa también iban sufriendo metamorfosis lentas. Lo abrupto es la esencia de los sueños: un tenue desplazamiento de presencias oníricas era lo único que acertaba a constatar. ¿Qué soñó bajo las dos frondas gemelas cuando Zeus la abrazaba como a una isla recién exiliada sobre otra isla? Los árboles al menos se contagiaron de eternidad y desde entonces sus hojas son perennes. ¿Se engendran unos sueños a otros? ¿Qué trono polícromo, qué parte de poder merecería ella a cambio de ese rapto y de ese destierro? ¿No va a acudir el sueño necesario, un indicio de coherencia entre el deseo frenético de un dios y el destino del abrazo mismo?

[De *Metamorfosis incesante*, 1994]

EL MITO DE SÍSIFA

[Aurora Luque]

¿RECUERDAN el duro castigo de Sísifo? Prototipo de hombre astuto y heredero directo de las artes de Medea, Sísifo delató a Zeus en un asunto de raptos y de faldas, y pagó muy, muy cara su inclinación a la transparencia (bastante interesada por otra parte, ya que a cambio de la información Sísifo reclamó una fuente para Corinto, su ciudad: maniobras municipales en la oscuridad de los mitos). El caso es que Sísifo, por ésta y por otras impertinencias, fue condenado a levantar con gran esfuerzo una enorme roca hasta la cima de un montículo; una vez arriba, la roca caía rodando a toda velocidad y Sísifo tenía que recomenzar eternamente la tarea.

Los dioses soportaban muy mal la insolencia y las salidas de tono de los mortales. Albert Camus, que habló de Sísifo como «el héroe absurdo», escribió a propósito de los dioses: «Habían pensado con algún fundamento que no hay castigo más terrible que el trabajo inútil y sin esperanza.»

Pues bien: este castigo atroz de Sísifo me viene a la memoria cada vez que me aproximo a la vida o a la obra de una escritora de épocas pretéritas. En el siglo XIX, en la Grecia arcaica o en el Renacimiento un número no insignificante de mujeres tuvo a su disposición papiros y papeles, tinta y tiempo; dentro llevaban imaginación, ideas y ganas de contarlas. Algunas consiguieron el reconocimiento de los contemporáneos y homenajes incluso de generaciones posteriores. Pero rara es la trayectoria literaria femenina —y aquí se me aparecen el agotado Sísifo (¿o tal vez Sísifa?) y su saltarina roca— que no se quiebra o se despeña por culpa de algún malentendido absurdo o de alguna obcecada fuerza exterior.

¿Ejemplos? El papel utilizado para relatarlos quizá pesara más que la propia roca de Sísifo. Todo este asunto es también una roca incómoda que la solemne historia de la literatura sigue cargando sobre sí. Veamos.

En el siglo XVII, Marcela de San Félix, hija de la actriz Micaela Luján y de Lope de Vega y autora de loas, romances y coloquios en verso, quemó su autobiografía por orden de su confesor. De la segunda mitad del siglo XIX nos llega un poema en el que la autora, Rosario de Acuña, se defiende de la acusación de poetisa. Merece la pena citar una parte:

«Si han de ponerme nombre tan feo
todos mis versos he de romper;
no me cuadra
tal palabra
no la quiero
yo prefiero
que a mi acento
lleve el viento
y cual sombra que se aleja
y no deja ni señal,
a mi canto
que mi llanto
arrebate
el vendaval.»

Además del fuego y del vendaval hay otros destinos lamentables para libros y autoras. A veces un episodio biográfico se hincha, se abulta y se destaca artificialmente hasta llegar a perturbar la percepción de una obra excelente. Muy conocido es el caso de Safo y de la *Sapphofrage*: su poesía (que Pound recomendó entre los textos básicos para el aprendiz de poeta junto a Catulo y Villon) ha sido pertinazmente mal traducida e incluso censurada en nuestro país hasta hace pocos años.

Menos conocida es en cambio la peripecia vital y literaria de Luisa Sigea, una escritora toledana del siglo XVI, hija de un humanista de origen francés y preceptora en la corte del rey de Portugal. Llegó a dominar seis lenguas. Su obra comprende poemas en latín y castellano, un epistolario también en ambas lenguas y un curioso diálogo latino, erudito y extenso (y no traducido aún) entre dos mujeres, Blesilla y Flaminia, que contiene una áspera crítica a la adulación y corrupción palaciegas. El prestigio de Luisa Sigea fue enorme: poetas portugueses y españoles dedican encendidos elogios a su obra y elegías y epitafios a su muerte. La llamaron la Minerva Toledana y la Calíope Lusitana. Al desaparecer, su nombre quedó como el recuerdo de un prodigio, de algo irrepetible.

Pero un siglo después, en Francia, ocurrió el típico desplazamiento, el malentendido absurdo del que hablábamos: la piedra, que tanto trabajo costó mover hacia lo alto, comienza su descenso inmerecido. Un señor de Grenoble —cuyo nombre no merece ser recordado— atribuyó a Luisa Sigea la *Sátira sotadica,* un texto latino pornográfico que él mismo había escrito. La maniobra es vieja: ya en la Grecia helenística se atribuyeron a mujeres tratados de este tipo. La auténtica obra de Luisa Sigea fue cayendo en el olvido. Todavía hoy no está editada en su conjunto.

Son muchas las escritoras convertidas en Sísifas a su pesar. Demasiados esfuerzos despeñados. Lo penoso no es que las mujeres a lo largo de los siglos no hayan escrito exactamente la misma cantidad de textos que los hombres. Lo verdaderamente lamentable es que obras ya escritas —versos y párrafos palpitantes plasmados en un papel y hasta publicados— hayan dado en rodar y perderse cuesta abajo por la ladera nunca inocente de la incuria y del olvido.

EL MITO DE SÍSIFA

Revisar y reconstruir la tradición es una tarea inaplazable. En mis paseos por la literatura de otras épocas he podido comprobar que las obras de muchas escritoras realmente estimulantes yacen en un injusto semiolvido: o están mal traducidas o siguen sin traducir o no cuentan con ediciones accesibles. Cito al azar los casos de la humanista toledana Luisa Sigea, de la romana Sulpicia o de la dramaturga malagueña Rosa de Gálvez.

La visibilidad de las antologías guarda una relación proporcional con la invisibilidad y mala distribución de los libros de poemas. Si el poemario de tal o cual autor o autora fuera tan accesible como lo suele ser cualquier novela, quizá no nos resultara entonces tan imprescindible acudir a los antólogos.

Las antologías son obras estrictamente personales de sus autores. No pienso en términos universales, sino en la labor de seis o siete antólogos españoles a lo largo de las dos últimas décadas. ¿Por qué no aparecen poetisas en una proporción comparable a la de poetas? Una antología se realiza con una intención, pretende delimitar una corriente. Los libros de las poetisas son a veces inclasificables dentro de ese esquema de corriente canalizada, por suerte para los lectores y lectoras. Basta recordar la singularidad de las propuestas de —por ejemplo— Chantal Maillard o Isla Correyero.

Pero algunas antologías serias sí suelen incluir a las voces femeninas coherentes con la línea que las vertebra. Pienso en *La prueba del nueve* e incluso en *El sindicato del crimen*. Puede ser que no haya literalmente ningún otro nombre de mujer adaptable al fichero ortodoxo del antólogo. La ausencia de mujeres puede ser un asunto de heterogeneidad, de disonancia.

Por último, un dato inquietante. La cifra más elevada de participación de mujeres en una antología la he encontrado en una selección muy particular: la *Antología de poetas suicidas (1770-1985)* de José Luis Gallero. Al lado de cuarenta y tres poetas de sexo masculino, un total de diez antologadas.

Todo un récord.

[Aurora Luque, «Ellas tienen la palabra»]

Comentarios

La Luz de Grecia sobre Aurora Luque [«El agua en la boca», suplemento núm. 5 de la revista *Litoral*]
En la poesía de Aurora Luque, Grecia actúa como un motivo constante y engendrador, como energía directa que funda, esclarece y permite ver. No puede reducirse a ninguna especie de neoclasicismo. Griega como es, pero de ahora (y, pensándolo bien, creo que esta adversativa es innecesaria), nada resulta más ajeno a ella que la acumulación arqueológica o superficial de barnices helenizantes. Por eso ni siquiera puede reducirse a Grecia.

Borges tuvo la osadía de decir: «Nada sé de la literatura argentina actual. Hace tiempo que mis contemporáneos son los griegos». Sólo la segunda parte de esta hermosa provocación tiene sentido para la poesía de Aurora Luque. [...] Aurora es griega no por todas las numerosísimas alusiones a Grecia que nutren su poesía. La suma (o la multiplicación) de esas referencias engendra un horizonte visible, un paisaje helénico habitable por el lector. Pero es griega no por los modelos, sino por los modos (y utilizo aquí una distinción apuntada por Marguerite Yourcenar). Ser griego es expresarse fundamentalmente mediante el mito, saber —por la educación en la poesía— que el mito es un tipo de discurso, y que es *el tipo de discurso que habla del hombre* en su verdad hermosa e implacable. No hace falta que los modelos sean siempre helénicos. Y no hace falta repetir los modelos. [...]

El mito es capaz de encarnar el deseo. El de Ariadna, no por el abandono de la heroína, sino por el laberinto mismo, metáfora del cuerpo, cuerpo mismo. Como Ovidio, Aurora Luque es capaz de extraer facetas inesperadas del más trillado de los mitos: *y deshacen el mito con el arte.* [...] Increíblemente, el universo grecolatino resulta exótico para el común de nuestra cultura. Por eso es tan fácil recurrir a él como máscara que legitima. Podrán encontrarse pocas culturas para las que el núcleo mismo de su tradición haya llegado a ser radicalmente ajeno a su desarrollo. La tarea heroica (es decir, poética) de Aurora Luque se cumple al conciliar dos sistemas míticos: el actual y el antiguo. La disociación entre ellos genera una tristeza cultural padecida por el hombre occidental desde que comienzan su educación y sus lecturas. Algunos los (re)concilian, porque viven en ambos universos míticos, porque para ellos son uno.

[Juan Antonio González Iglesia]

BIBLIOGRAFÍA

Publicaciones [Poesía]
Libros

Hiperiónida, Col. Zumaya, núm. 15, Premio «García Lorca» de la Universidad de Granada 1981, Granada, 1982.

Problemas de doblaje, Col. Adonais, núm. 470, Accésit al Premio «Adonais» 1989, Rialp, Madrid, 1990.

Carpe noctem, Col. Visor Poesía, núm. 314, Premio «Rey Juan Carlos» 1992, Visor, Madrid, 1994.

Carpe mare, Col. Capitel, núm. 5, Miguel Gómez Ediciones, Málaga, 1996.

Transitoria, Accésit al Premio «Rafael Alberti» 1997 y Premio Andalucía de la Crítica 1998, Renacimiento, Sevilla, 1998.

Las dudas de Eros, Col. 4 Estaciones, Lucena, 2000.

Cuadernos y plaquettes

Ménades en «La Medina», Abalorios/ Pliegos, Málaga, 1992.

Juan Delgado/Aurora Luque, Col. Poetas en el aula, Junta de Andalucía, Sevilla, 1992.

Las dunas, Hojas de Poe, núm. 11, Málaga, 1993.

La metamorfosis incesante, Ateneo de Málaga, Málaga, 1994.

La isla de Mácar, Col. Bauma, núm. 7, Barcelona, 1994.

De islas, Aula «José Cadalso», núm. 60, San Roque, 1998.

El agua en la boca, suplemento de *Litoral,* Málaga, 1998.

Cuaderno de Mallorca, Col. Poesía de paper, Palma de Mallorca, 1999.

Poemas, Col. El centaure, Palma de Mallorca, 1999.

Camaradas de Ícaro, Ateneo de Fuengirola, 2001.

Poesía traducida

Hölderlin-Jahrbuch, núm 29, en trad. de Valerie Lawitschka, Stuttgart-Weimar, 1995.

«Carpe noctem», en trad. de Xesús Rábade, *El Correo Gallego,* 16-11-1995.

Approdi. Antologia di poesia mediterránea, en trad. de Emilio Coco, Milán, 1996.

Poesía española de ágora, en trad. de Joaquim M. Magalhâes, Lisboa, 1997.

Dnevi poezije in vina / Days of poetry and wine, en trad. de Blazka Müller al esloveno y de Emilio Carrasco y José Díaz Chicano al inglés, Medana (Eslovenia), 1997.

Poesía e poetica, en trad. de Emilio Coco al italiano, Roma, 1999.

Sinomilontas me ton Kavafi, Antología de poemas extranjeros inspirados en Cavafis, trad. al griego de Vicente Fernández, Tesalónica, 2000.

Antologías

Poesía española 1982-1983, ed. de José Luis García Martín, Hiperión, Madrid, 1983.

Antología en honor de Soto de Rojas, Depto. de Literatura Española de la Universidad de Granada, Granada, 1984.

Litoral femenino, ed. de Lorenzo Saval y Jesús García Gallego, Málaga, 1986.

Antología en honor de García Lorca, Depto. de Literatura Española de la Universidad de Granada, Granada, 1986.

Poesía almeriense contemporánea, Col. Batarro, Almería, 1992.

Tierras de la Alpujarra, Adra, 1992.

Poesía actual almeriense, Col. Riomardesierto, Almería, 1992.

Quinta antología de Adonais, Rialp, Madrid, 1993.

Poesía en Málaga, revista *Puente de plata,* núm. extraord., Málaga, 1993.

Galería de elegidos, Col. Batarro, Almería, 1993.

Málaga en Aix, Universidad de Málaga, Málaga, 1993.

«Más que verdad de amor, verdad de vida». Antología de la nueva poesía granadina, Universidad Nacional Autónoma de México (México), 1993.

Bellavista, Diputación Provincial de Málaga / Galería de Arte Alfredo Viñas, Málaga, 1993.

Albor de la palabra. Primer encuentro nacional de jóvenes escritores, Murcia, 1994.

Entre el sueño y la realidad. Conversaciones con poetas andaluces, Sevilla, 1994.

Poetas del poeta. A Friedrich Hölderlin en el 150 aniversario de su muerte, Hiperión, Madrid, 1994.

El hilo de la fábula, Col. Campo de Plata, Granada, 1995.

Selección nacional, Col. Universos, Gijón, 1995.

Prometeo. Antología del VII Festival Internacional de Poesía de Medellín, Medellín (Colombia), 1996.

Elogio de la diferencia, Córdoba, 1997.

...Y el Sur, Málaga, 1997.

Contigo quiero hablar, Antología de apoyo a Chiapas, Málaga, 1997.

Escrito en Málaga, revista *Ficciones* núm. 2, Granada, 1997.

Ellas tienen la palabra, Hiperión, Madrid, 1997.

De varia España, Guanajuato (México), 1997.

La Generación del 99, ed. Nobel, Oviedo, 1999.

La palabra debida, Instituto Andaluz de la Mujer, Sevilla, 2000.

Poesía mediterránea, Antología conmemorativa del II Festival de Poesía de la Mediterránea, Palma de Mallorca, 2000.

Norte y sur de la poesía española contemporánea. Santander-Málaga. Encuentro sobre teoría y escritura de la poesía actual, Santander, 2000.

Mujer y poesía, revista *Ánfora nova* núm. 43-44, Rute, 2000.

Las flores del yodo, Alicante, 2001.

Antología de la poesía reciente, col. Letras Hispánicas, ed. Cátedra, Madrid, 2001.

Hitos y señas, ed. Laberinto, Madrid, 2001.

El cristal y la llama, Hiperión, Madrid, en prensa

Traducciones

Safo. Fragmento 31, Málaga, 1994.

25 epigramas de Meleagro de Gádara, Col. Llama de amor viva, núm. 5 , Málaga, 1995.

«De fetiches antiguos» (Epigramas de la Antología Palatina), *Clarín*, núm. 2, Oviedo, 1996.

María Lainá. Nueve poemas, Col. Capitel, núm. 11 , Málaga, 1996 (en colaboración).

«Dos poemas de Jenny Mastoraki», en el volumen colectivo *Mujeres y dictadura*, Col. Atenea de la Universidad de Málaga, Málaga, 1996.

«Tres poemas de María Lainá», *El Laberinto de Zinc*, núm. 2, Málaga, 1996 (en colaboración).

«De Alejandría» (Epigramas de la Antología Palatina), *El Laberinto de Zinc*, núm. 4, Málaga, 1997.

«Dos poemas de Nikos Kavadías», *Puente de plata*, núm. 5, Málaga, 1998.

«La suerte de Titono. Poemas griegos sobre la vejez», Clarín, Oviedo, 2000.

Los dados de Eros. Antología de poesía erótica griega, Hiperión, Madrid, 2000.

«El número plural» de Kikí Dimulá, *La hoja del matarife*, núm. 2, Málaga, 2000.

Narrativa

Aire de Salónica, en el volumen colectivo *27 cuentos de narradores malagueños*, Málaga, 1997.

¿Quién teme a Papá Noel?, volumen colectivo, Miguel Gómez Ediciones, Málaga, 1998.

El peregrino, Diario Sur, Málaga, 1999.

Los guantes de Flavia, Diario Sur, Málaga, 2000.

Textos varios

Conferencias

«Federico e Ifigenia». Conferencia del ciclo *Así que pasen sesenta años*, homenaje a F. G. Lorca organizado por la Biblioteca Municipal de Tesalónica, Grecia, 1996.

«Mitos, rutas, palimpsestos: Grecia en la poesía actual». Conferencia en el *Curso de Iniciación al Arte de Escribir* del Centro de Formación *Studio 1* de Málaga, 1998.

«*Cuerpos, almas o luces:* lecturas de Aleixandre». Comunicación en el Encuentro con Vicente Aleixandre organizado por el Centro Andaluz de las Letras, Sevilla, 1998.

«Cuando Grecia es una droga: leer, escribir y traducir poesía». Conferencia dictada en la Universidad de Salamanca, 1999.

«De palabras y penumbras (Algunas escritoras andaluzas)». Texto leído en la Delegación del Gobierno Andaluz con motivo del Día de Andalucía, Málaga, 1999.

Comunicaciones

«Otras academias». Comunicación en el *X Encuentro de Escritores de Verines*, organizado por el Centro de las Letras Españolas bajo el lema «Creación y enseñanza literaria», Asturias, 1995.

«Lecturas y texturas: la poesía de María Lainá». Comunicación colectiva en el Congreso Internacional *Escritura y feminismo*, organizado por la Universidad de Zaragoza en 1995. Realizada en colaboración con María López Villalba y Obdulia Castillo.

«Hacerse a la mar». Comunicación en el *I Encuentro sobre el paisaje en la poesía actual española*, Hinojosa del Duque, Córdoba, 1997.

«Musas de la perdición». Comunicación en el ciclo *Fatales y malísimas en el cine*, organizado por la Cinemateca Municipal, Málaga, 1998.

«La lírica va bien o Virgilio en el kiosco». Comunicación en el *XIII Encuentro de Escritores de Verines*, organizado por el Centro de las Letras Españolas bajo el lema «El estado de las poesías II», Asturias, 1998.

«El canon de la poesía femenina. Notas sobre los orígenes». Ponencia en el *III Encuentro de Mujeres Poetas*, Lanzarote, 1998.

«El *último* peldaño: una lectura de C. P. Cavafis». Comunicación en el *II Coloquio sobre Grecia*, organizado por la Universidad de Málaga bajo el lema *C.P. Cavafis: modernidad y canon literario / poética-traducción-recepción*, Málaga, 1998.

«La perforación de los límites». Comunicación presentada en el Encuentro sobre San Juan de la Cruz «Dezid si por vosotros a passado», celebrado en Sevilla, 1999.

«La tradición de la marginalidad. El caso de Safo». Ponencia presentada en el *V Encuentro de Mujeres Poetas*, Barcelona, 2000.

Artículos

«Thelyglossos. La poesía compuesta por mujeres en la Grecia Antigua». Artículo publicado en el volumen *Femenino plural. Palabra y memoria de mujeres*, Col. Atenea, Universidad de Málaga, 1994.

«Ulises: penúltimas escalas». Sobre el libro *Ulises o libro de las distancias* de Rafael Pérez Estrada, publicado en un volumen colectivo sobre el autor en la col. Calambur, Madrid, 1999.

Presentaciones

«Hierro en Oria». Presentación de José Hierro en el *VII Encuentro de Poetas Almerienses*, Oria, Almería, 1997.

«El lenguaje divinamente inutilizable». Presentación de María Navarro en una lectura organizada por el Centro de la Generación del 27, Málaga, 1998.

«Las llaves del tragaluz». Presentación del libro *Cuántas llaves* de Concha García en el Ateneo de Barcelona, 1998.

«Paramusas». Presentación del libro *Y en el mar se enredó la buganvilla*, de Anunciatta Vinuesa, Motril, 1998.

«Bajo las cremalleras de las palabras». Presentación del libro *Mercado negro*, de Manuel Montalbán, Málaga, 1999.

«El jardín de Kenizé». Presentación del libro *Un jardín en Badalpur*, de Kenizé Mourad, organizada por el Centro Andaluz de las Letras, Málaga, Feria del Libro, 1999.

«Busutil, S.L.» Presentación del libro de relatos *Marron glacé* de Guillermo Busutil, Ateneo de Málaga, 1999.

«La pulpa del verano». Presentación del libro *Los años como colores* de Ignacio Elguero, Málaga, 1999.

Reseñas

«Como espía abisal». Reseña del libro *Náufrago ilustrado* de Alfredo Taján, publicada en *Sur*, Málaga, 1992.

«Las razones del salvaje». Reseña del libro *El salvaje de Borneo* de Alfredo Taján, publicada en *Sur*, Málaga, 1993.

«Sigilosa estrategia de palabras». Reseña del libro *Simulacro de fuego* de Francisco Ruiz Noguera, publicada en *Turia*, núm. 27, Zaragoza, 1994.

«Notas a *La Dama Errante*». Reseña del libro *La dama errante* de Ángeles Mora publicada en *Scriptura*, núm. 10, Lérida, 1994.

«La hermosura del héroe». Reseña del libro *La hermosura del héroe* de Juan Antonio González Iglesias publicada en *El Laberinto de Zinc*, núm. 1, Málaga, 1996.

«La guardia». Reseña del libro *La guardia* de Nikos Kavadías, publicada en *Clarín*, núm. 2, Oviedo, 1996.

«Palabras de cobalto». Reseña del libro *Cobalto* de Esther Zarraluki, publicada en *El Laberinto de Zinc*, núm. 3, Málaga, 1997.

«Antifábulas». Reseña del libro *Todo lo contrario* de Juan Manuel Villalba, publicada en *Hélice*, Granada, primavera de1998.

Textos varios

«Cesaria». Intervención radiofónica en Onda Cero, Málaga, 1995.

«Pegaso. Nostalgia del animal perfecto». Texto para el catálogo *Pretextos* del escultor Suso de Marcos, Málaga, 1996.

«El mito de Sísifa». Texto publicado parcialmente como *poética* en la antología *Ellas tienen la palabra*, Noni Benegas y Jesús Munárriz eds., Madrid, 1997.

«Pequeño vals vienés». Texto para el volumen de homenaje a Lorca, Dámaso Alonso y Aleixandre preparado por el Centro de la Generación del 27, Málaga, 1998.

«Glosas a Ítaca». Texto para un cuaderno de poemas de Daniel Lázaro editado por el Centro de la Generación del 27, Málaga, 1998.

«Notas a Queipo». Texto para el catálogo de la exposición de Enrique Queipo «La rueda de color», Galería Alfredo Viñas, Málaga, 2000.

«El azul comestible». Texto para un homenaje a Rafael Pérez Estrada, Ateneo de Málaga, primavera de 2000.

«Orfeos». Texto para el núm. 15 de la revista *Hélice*, Granada, 2001.

Chantal Maillard

BIOGRAFÍA

Chantal Maillard nació en Bruselas en 1951. De padres belgas, permaneció en Bélgica hasta los trece años. Conoció diversos internados de la capital belga y de Flandes. Adquirió la nacionalidad española por matrimonio a los diecisiete años.

Ha vivido un años en Benarés (India), en cuya universidad se especializó en Filosofía y Religión indias.

Es doctora en Filosofía Pura y profesora titular de Estética y Teoría de las Artes en el Departamento de Filosofía de la Universidad de Málaga en la que imparte enseñanza desde 1990.

Ha sido galardonada con los premios Leonor de Poesía (Diputación Provincial de Soria, 1987, conjuntamente con Jesús Aguado), Juan Sierra de Poesía (Sevilla, 1990), Ricardo Molina (Ayuntamiento de Córdoba, 1990), Santa Cruz de La Palma (Canarias, 1993).

Ha sido incluida en las antologías *Ellas tienen la palabra* (Hipérión), *Breviario del deseo, Litoral femenino, II Encuentro sobre el paisaje en la poesía actual española.*

En su escritura comparte la poesía, el ensayo y la prosa poética.

POÉTICA

Apuntes para una poética. Para una poesía fenomenológica

Un instante es siempre —algo que ocurre—. Decir algo que ocurre, expresarlo, es detener en la palabra el movimiento de lo que está siendo, hacer del instante, en sí mismo fugaz e inaprensible, una imagen detenida para la memoria. Expresar el instante es hacer trampas con el mundo en su acontecer, pero es a la vez crearlo en su determinación porque al expresarlo se hace repetible y, por ello, cognoscible. Hablar es detener lo efímero, es hacer el tiempo en donde había nada, pues para que algo sea debe poder ser reconocido (conocer es reconocer) y esto es lo que la palabra procura: la huella del instante en la memoria.

La palabra capta el instante, lo marca, hace de él un bloque, materia consentida. Pero generalmente quien la profiere no se sabe creador de realidad. Supone que la palabra es un instrumento que reproduce fielmente una realidad dada antes del lenguaje. Cree que entre lo que dice y lo que ve y entre lo que ve y lo que es existe solamente la distancia propia del reflejo. La palabra así entendida es mimesis inmediata: espejo del mundo para la conciencia. Mas si alguna vez, en el origen del lenguaje, pudo ser así, es de reconocer que desde hace tiempo ha perdido la palabra su inmediatez. El discurso se genera corrientemente a partir de significados endurecidos bajo los cuales la realidad apenas late. La categoría de lo real es transferida al concepto en su carácter de universal, y muy raramente se es capaz de recuperar en la singularidad la presencia auténtica de las cosas. En muchas ocasiones la palabra pierde incluso el carácter mediador que adquirió después de haber abandonado su función especular. Esto sucede cuando el discurso se construye sobre otros discursos de cuyos conceptos se da por supuesta la realidad que representan.

Hay sin embargo un modo de expresión en el que la palabra recupera la inmediatez. Este modo de expresión se genera cuando la palabra surge a partir del contacto de la mirada con aquello que siempre permanece oculto y desconocido en todo lo que «hay». Aquel que habla entonces sabe que su palabra es un arma, y la utiliza con cuidado. Crear un mundo, hacer el tiempo, es empresa delicada y sólo los fuertes de corazón pueden no sucumbir en ella. La muerte por la Palabra es la pérdida de la visión de lo eterno y la caída en el tiempo. La palabra poética es palabra verdadera cuando la poesía se entiende con aquella actitud interior que lleva al sujeto, mediante una intensa comunión con el objeto al que contempla, a captar el cuerpo eterno de ese objeto. No su ser de tiempo, pues en el tiempo sólo puede haber diferencia (y el acuerdo o concordancia no es sino un modo de la diferencia) sino la eternidad de su cuerpo, la eternidad en el cuerpo. Cuando el sujeto es capaz de expresar esta experiencia fundamental con la máxima sencillez, entonces la imagen detenida en la palabra comunica el suceso (todo es suceso; un objeto aparentemente inmóvil siempre está sucediendo), y refleja, como en infinitos espejos sentimentales, la armonía hallada en la contemplación.

Llamo —poesía fenomenológica— al acto poético que da lugar a la mínima expresión capaz de manifestar el instante, y hago extensiva la expresión a la obra poética a la que tal acto diese lugar. Expresión inmediata, sencilla, que capta el objeto justo entre su movimiento y su quietud, entre su tiempo y su eternidad, entre su ser-objeto y su no-ser-nada. Y en el objeto, la expresión capta asimismo la mirada que objeta, la mirada que es, casi simultáneamente, la garra y el vuelo, la garra que apresa y posee a las cosas, y el vuelo del ave que planeando suelta su presa y ve cómo se quema con el roce del aire en su caída.

El tiempo es múltiple; la eternidad única. Penetrar en el tiempo es realizarse —hacerse real—. Si para todos los seres el tiempo fuera el mismo, no habría diferencia entre ellos. Los seres se parecen y logran relacionarse y comprenderse en la medida en que comparten un tiempo: un ritmo determinado. Hallando el ritmo de un ser —sus intervalos y su resonancia— uno puede penetrar en su intimidad; puede obtener conocimiento de su espacio y de dónde terminan los límites de su realidad. En esos límites se halla la clave de la armonía que le hace a ese ser ser lo que es y no algo distinto de lo que es.

Y por ello puede resultar peligrosa la aproximación a estos límites, pues quien los contempla toma contacto con la energía eterna de la que toda armonía dimana. No solamente puede obtener conocimiento de la armonía propia de ese ser particular en el que ha penetrado, sino también de la fuente de toda armonía, de su infinitud —pues es un punto (de) infinito el origen y, con ello, de la infinita posibilidad de ser.

El peligro es el éxtasis. Pues el infinito se apropia de toda tensión que hacia él converge. Como un agujero negro, succiona los límites de quien se acerca demasiado —y la visión no es sólo proximidad, es ya tacto— y destruyéndolos, los desrealiza. El peligro es el éxtasis porque todo estado extático es tensionalidad: deseo de disolución, tensión hacia el Absoluto.

A veces el conocimiento deslumbra tanto que se convierte en éxtasis. Por ello, en ocasiones, el camino del conocimiento se convierte en deseo de muerte. Muerte: término de la existencia —toda existencia es particular—, devolución del ente a la posibilidad de ser. Un instante es un punto, un simple punto de intersección entre la horizontalidad del tiempo y la profundidad de lo eterno. Unidad de tiempo y unidad de espacio se identifican en él. Cuando un punto se dilata el mundo y los seres aparecen; cuando se reduce a su estado original vuelve a ser el umbral de todo lo posible. Un ente es la fuerza cósmica que se limita a sí misma en un punto. Esto lo ilustra muy bien la palabra sánscrita atma (alma cósmica o individual) —de la raíz sánscrita at que significa moverse constantemente— que cuando significa mente o conciencia individual, es sinónimo de aunque significa punto o átomo. Un instante es la detención apenas perceptible del movimiento eterno. Tal detención, por imperceptible que sea, sólo puede tener lugar en el tiempo dado para la visión, pues nada puede ser visto si no es en el tiempo, en un determinado tiempo; nada puede ser visto que no tenga un ritmo que sea complementario del ritmo visual de quien contempla (ni lo que ahora escribo podría escribirse de no ser en el tiempo).

La palabra puede trazar mapas, estrategias para introducirnos en los lugares cercanos al límite. Allí, fugazmente, crece a veces en el alma una certeza que la palabra misma no acierta a definir: la pura sensación de estar en mi propio ser sin que ese ser me pertenezca; un ensanchamiento: la constancia del instante. Y en ese instante, la sensación de que mi propio transcurrir en nada afecta a la eternidad de cada instante. ¿Cómo trazar esos mapas? ¿Cómo hacer que la palabra, en vez de encadenarnos a la temporalidad (procediendo, como suele hacerlo, a una continua revisión de las circunstancias), sea vía de salvación y juego astuto en los márgenes de lo creado?

Un modo posible, aparte el del humor y la ironía, es sacralizar el ámbito en el que las palabras han de ensamblarse para así darle carácter de templo a lo que edifiquen. Más que de templo, de piedra sagrada, la expresión mínima y original que indique la presencia de lo eterno en lo temporal. Ha de ser símbolo el discurso, pero símbolo elemental, simple; menos que un templo y más que un templo, la palabra debe expresar la visión del instante: la pertenencia de todo lo temporal a lo eterno. La palabra poética ha de poder expresar el pájaro, el viento, el agua, la piel, no en su concepto sino en la inmediatez inconmensurable del acto, cuando el pájaro penetra en la niebla, cuando la gota de agua brilla en el hocico de un perro, cuando la sombra de una rama roza veloz el bloque de granito. Debe expresar el cuando que siempre es nexo, síntesis que anula la distancia entre dos o más modos de ser. Más allá de la unidad de tiempo y lugar que indica en la proposición, el cuando es unión efectiva y real de los elementos que entran en juego. Cuando es el Acto perpetuo de creación. La visión de tal Acto es experiencia estética.

Llamo poesía a la forma verbal que logra, a partir de esta visión, expresar la unidad del tiempo y la eternidad. Y llamo a esta poesía fenomenológica, porque trata de devolver a las cosas el ser, su ser, todo su ser por tan largo tiempo extirpado de sus entrañas perecederas, desterrado de su piel. El ser del pájaro es el pájaro y más que el pájaro, es la niebla y su esfuerzo por hendirla, y el mundo bajo sus alas y el ojo que lo contempla, y aún más. «A las cosas mismas», dijo Husserl, pero el valor esencial de las cosas es cuestión aesthética. Sólo estéticamente aparecen las cosas en su mismidad porque sólo estéticamente se muestran más allá de sí mismas —ese sí mismo siempre escindido de la totalidad—. Los fenómenos son el acto de ser de las cosas que al cumplirse aparecen, y lo que se nos muestra en ese aparecer es precisamente eso: el acto de estarse-siendo. Y ningún don hay más elevado en el conocimiento que el de asistir, con plena conciencia, al irrepetible encadenamiento de los seres, pues aquel que goza de esta visión participa también de la infinitud del instante.

La poesía fenomenológica no ha de ser recuerdo ni tampoco prospección. Ni pasado ni futuro son lugares de aparición; sólo el presente puede serlo pues únicamente el presente puede convertirse, en los lugares sagrados, en presente perpetuo y, al hacerlo, subsumir todos los tiempos. Tanto las poéticas de «recordatorio» como las que proyectan un futuro más o menos próximo son arabescos del deseo, formas del anhelo, máscaras que ocultan el lamento. Deseo de vuelta atrás o deseo de cambio, deseo de que algo acabe o de que algo permanezca. El poeta que escribe en pasado o en futuro es deudor del deseo, y el deseo hace al tiempo y la historia más aún que lo hace la palabra pues puede decirse que la palabra ha sido engendrada por el deseo.

La poesía entendida fenomenológicamente debería ser un medio para transmutar la energía del Deseo. Pues de transmutación se trata, que no de eliminación. La transmutación del deseo, de la energía que el deseo supone, ha sido la materia de estudio (práctico) de todas las doctrinas orientales sin excepción. Platón, que al parecer no entendió muy bien el asunto, pretendió simplemente erradicarlo, ayudando de esta manera a edificar los cimientos de la historia de la represión. El deseo es una acumulación energética que puede ser desviada de su trayectoria y utilizada para otros fines. Para ello, ha de ser canalizada por conductos distintos de los que llevarían a la consecución de su objetivo y a su natural estancamiento en él. Sin objeto, la energía deseante se neutraliza, y ha de condensarse entonces para abrir el ámbito sagrado.

La poesía fenomenológica reduce los recuerdos (añoranza o rechazo de circunstancias pasadas, deseo de revivirlas o exorcisarlas) y las prospecciones (necesidad de conformar nuestro destino de acuerdo con nuestras aspiraciones) a un momento único: el ahora. Al anularse la extensión temporal, la condición «deseante» de la energía desaparece permaneciendo únicamente como poder. Y cuando el poder se concentra y no busca salida en forma de deseo, permite el acceso a aquel punto en el que todos los límites convergen: la eternidad del instante.

No es distinto el tiempo de la eternidad, como tampoco se diferencia el ser de los fenómenos de su estar-siendo. Pero únicamente la fugacidad del instante, su cuasi-inexistencia, puede darnos a entender el gran misterio de la simultaneidad. Que todo es simultáneo es una experiencia tan fugaz como el instante mismo. Ni el instante, ni la intuición que lo aprehende tienen extensión alguna, aunque puede decirse que tienen intensidad.

Cuando en el sujeto el objeto deja de ser conciencia-del-objeto y deviene presencia, entonces se manifiesta el orden de lo simultáneo. La gota de agua en el hocico de un perro no es una gota de agua, ni su localización, ni una parte del cuerpo del perro, ni la relación creada entre los ojos y la mente de quien distingue el hecho. No hay suceso que sea un conjunto de circunstancias aisladas del sujeto. El suceso, cualquier suceso, es el universo entero, sin dejar por eso de tener lugar individualmente. El pájaro que se hunde en la niebla no es un pájaro sino ese pájaro cuando atraviesa esa capa de niebla. No se trata de universales: el pájaro no representa cualquier pájaro; no se trata de conceptos: lo singular no apunta a lo universal. Este tipo de poesía salva precisamente la individualidad del objeto, su absoluta irrepetibilidad, no sólo en lo que es sino en el gesto, pues entiende que el gesto es todo lo que hay. El gesto como momento del movimiento. Sin dejar de moverse, el individuo es percibido en el gesto. El gesto es suceso: resultado y proyección. La trayectoria entera está implícita en cualquiera de sus momentos y ningún gesto concluye sin que se inicie otro distinto. La distinción: ruptura mental de la continuidad. El gesto no aísla al individuo, al contrario, enlaza, comunica. El gesto es la dinamicidad del cuándo.

No se trata tampoco de ver lo universal (la idea o esencia) en lo particular. Se trata de ver lo particular en toda su amplitud y así recuperar la unidad de todo aquello que habíamos diferenciado. En el pájaro —ese pájaro— están todos los pájaros pero también todas las nubes y todos los gestos de propulsión, la ley del vuelo, el sonido y el roce, el latido, el agua y el color, y el azar que fragua todos los caminos, el azar que guía la mirada, el azar que es el nombre que le damos a las leyes de la simultaneidad. En todo suceso está el universo entero y, más allá del universo, el misterio de todo lo posible.

Ver esto es ya suficiente para que un hombre experimente la plenitud de su ser. Pero el poeta que sabe expresarlo abre un ámbito sagrado. El caminante que casualmente penetrase en ese lugar podría recoger la piedra sagrada y tal vez ésta se pusiera a arder en su mano. El fuego no solamente purifica, también destruye toda determinación, toda identidad. Purifica precisamente porque destruye.

Y las cenizas son una invitación a la mirada nueva. Volver a nacer de las cenizas es volver a ser sin recuerdo, sin el reconocimiento que procura el concepto, sin deseo por tanto. Las cenizas, en su informalidad (su no-formación), apuntan a lo desconocido, preparan la mirada para el acto esencial. La piedra sagrada debe arder para ser símbolo elemental. Si no arde, su condición de piedra remitirá a algo conocido aunque parcialmente olvidado. El caminante entonces reflexionará sobre la mejor manera de reconstruir lo pasado. Saldrá del lugar sin haberse consagrado.

Resumiendo pues, la poesía entendida fenomenológicamente habrá de atender a las siguientes indicaciones: a) debe procurar la simplicidad de la expresión y la sencillez del ritmo; b) debe observar el no-recuerdo y la no-prospección y, en consecuencia, localizar la acción en el presente; c) procederá a la captación de las formas en su singularidad, rehuyendo cualquier tipo de abstracción; d) debe procurar no inducir al lector a una actitud reflexiva, sino procurar la apertura de los canales que guían hacia los límites (límites de su tiempo con su eternidad); e) un poema ha de ser un mudra: un gesto cuyo carácter sagrado estriba en la recuperación (tanto por parte del poeta como por parte del lector) de la eternidad en el acto, esto es, en la realización temporal.

CUESTIONARIO

1.—¿Cómo se engendra tu poema? ¿Dónde? ¿Cuándo? ¿Por qué?
Se dan en mí dos actitudes; cada una de ellas conlleva un tipo de escritura. Una es de elaboración reflexiva, y da lugar al tipo de escritura propia del ensayo filosófico. Sigue un proceso discursivo, largo, y pausado, en el que prima el enlace lógico del razonamiento. No puede ser interrumpido y necesita, por ello, permanecer en un lugar, sin movimientos ni traslados. Si la filosófica es una actitud de ensimismamiento, la otra, en cambio, la poética, es una mirada dirigida hacia fuera, una disposición atenta que, más que indagar, recibe. Atención disponible, recepción atenta, ésa es, para mí, la actitud

que da lugar al poema. La prosa poética, a la que me dedico, procura aunar estas dos escrituras, y esto es lo que ha propuesto en ensayos como el de *La razón estética* y los que he procurado poner en práctica en libros como *Jaisalmer, Benarés*, o en *Filosofía en los días críticos*. La clave, creo está en el ritmo, una respiración que se hace movimiento, grafía, respiración que se transforma en palabra; más que «inspiración», diría que la escritura es una expiración.

2.—¿Crees que el ambiente influye en el poeta?

¿Acaso somos algo distinto de los que nos rodea? ¿Acaso el ambiente no es lo que respiramos? ¿Cómo podríamos pretender no expulsar de acuerdo con lo que ingerimos?

3.—¿Cuáles son los temas que te inspiran?

No hay temas, hay mundo. El mundo se convierte en tema cuando se le recorta de acuerdo con los intereses, las modas o «modismos».

4.—¿Cuándo empiezas a sentirte poeta?

No me siento poeta. Soy un ser que ha de morir. Expreso mi angustia, mi pena, mi temor, mis pérdidas, mis deseos insatisfechos, lo que pasa por mí o me sobrepasa. Eso es todo.

5.—Si tuvieras que clasificar tu poesía, ¿dentro de qué movimiento encajaría?

No lo sé ni me importa.

6.—¿Piensas que a la mujer poeta se la ha otorgado en el mundo literario el puesto que merece?

7.—¿Te consideras feminista en tus temas o en tu actitud?

8.—¿Crees que la escritura poética tiene género?

9.—¿Te sientes completamente libre en el momento de escribir aunque seas mujer?

10.—¿Qué te gustaría lograr como escritora?

Es probable, o así lo entiendo, que el pensamiento filosófico sea la manera masculina de entender el mundo y de procurarle sentido. La reflexión filosófica, en el modo analítico que se inició con los griegos y la formalización lógica que le dio Aristóteles, fue el modelo de pensamiento que dio lugar a la ciencia y nuestro mundo tecnológico no habría tenido lugar, probablemente, sin ello. Las mujeres que nos dedicamos profesionalmente a la filosofía, hemos adoptado un patrón propiamente masculino, lo queramos o no, lo cual implica, a menudo, que tengamos que vencer ciertas dificultades. Un modo de hacerlos es potenciando las formas más femeninas del pensamiento; me refiero a la recepción atenta del mundo de la que hablaba al principio. Por supuesto, no hay que olvidar que todos, hombres y mujeres, participamos de ambos polos; lo masculino y lo femenino, el *yin* y el *yang* se armonizan en cada uno/una de nosotros/as. Procurar esa armonía significa actuar sin perder el equilibrio. En cuanto a la libertad, ésa se adquiere cuando una/o encuentra su propio ritmo y se expresa de acuerdo con ello. Tengo por seguro que quien haga esto, sea mujer o sea hombre, será escuchado y recibido; pues, independientemente de las palabras y de su significado, hay algo, en cada ser humano, que recibe y acoge el aliento cuando éste se transmite.

SELECCIÓN DE POEMAS

AQUEL que se le acerca a usted
es un músico. Debe serlo
porque lleva una funda negra
en forma de violín.
Se le acerca al oído y murmura
algo que usted no entiende.
Usted le dice algo y él
no se entera tampoco, pero asiente,
luego frunce los labios como quien se concentra.
La seriedad es una variante del olvido:
nos ayuda a ser otro,
a construir distancias, a creer
que la piel es un límite.
Y es porque somos serios
que no sentimos en los labios
el aliento de un hombre que agoniza
a pocos metros de distancia;
gracias a nuestra seriedad
el impacto no logra hacernos
perder el equilibrio. Y usted,
entonces, mira al músico
y sonríe. Y yo sé que usted comprende
que los violines tocan de otro modo, hoy en día.

[De *Matar a Platón*, 2004]

NO PONDRÁS NOMBRE AL FUEGO

No medirás la llama
con palabras dictadas por la tribu,
no pondrás nombre al fuego,
no medirás su alcance.
Todas las llamas son el mismo fuego.
Mi cuerpo es una antorcha que alumbra los espantos
que la razón construye en sus tinieblas.
Hay que bajar al cuerpo, muy adentro,
tocar el centro ardiente, abrirlo y propagar
el gozo de la lava.
No importa en qué caderas,
en qué pecho resbale,
no importa la estatura, el sexo o la materia
pues todos caminamos sobre la misma, pira.
No medirás la llama con palabras que encubren
los viejos sentimientos de los hombres.

[De *Conjuros*, 2001]

INICIACIÓN

Estoy creciendo de la nada.
Mis ojos tantean
la claridad difusa
mis manos
se posan y tantean
abro agujeros
mi cuerpo agujeros
en el cielo agujeros
tanteo las estrellas
agujeros que llueven
y es dolor
y el dolor penetra
mi cuerpo tantea
el dolor tal vez
el gozo
indaga
descubre el mío
mi boca dice
vuelvo sobre mí
misma y tanteo
¡es tanta la ceguera!
cierro los ojos
lo cierro todo
y de repente me abro
veo
veo lo que no hay
veo
estoy creciendo de la nada.

[De *Lógica borrosa*, 2002]

AXIS MUNDI

DESCIENDO
desciendo al cuerpo y hallo
tenue bajada
la lombriz de mi espíritu
alojada en mi vientre.
Subo, subo en espiral
hacia el motor del mundo
huyendo
huyendo del mareo
del mal de ser sola
tan sola entre las vísceras
subo al latido
me alojo
en su arritmia y descubro
mí rostro de lombriz
adherida a las válvulas
y asciendo
sigo ascendiendo en busca
de una razón que diera
sentido a mí existencia
me deslizo en la tráquea
bloqueo las palabras
asciendo
resbalo. Hay un agua
viscosa tras los ojos resbalo
y se me pegan
imágenes de un mundo
apenas insinuado

asciendo y al llegar
a la cúpula descubro
que sus paredes lisas
transparentes, vacías
tienen la textura
carnosa de mí vientre.
He bajado al espíritu
he subido al instinto.
La misma lombriz tensa
el eje que mantiene
erguida mi cintura.
El nombre que le ponga
ahora será el tuyo
pero su nombre es el
de aquellos que he amado
de aquellos que amaré
es todos y ninguno
el eje que mantiene
erguida mi cintura
me previene de ti
te crea a mí medida
y asume el reto
de ser muchos
de ser tantos
que da la impresión
que no cabrá mi espíritu
adentro de este cuerpo
que no cabrá este cuerpo
adentro de mi espíritu
por eso muero un poco

cada vez que te nombro
y sin nombrarte apenas
alcanzo a definirme.
Mi vientre es quien pronuncia
las sílabas secretas
que se inscriben arriba
en la cúpula.
Mi existencia es señal
de un fuego
que arde eternamente
en sí mismo.

[De *Lógica borrosa*, 2002]

MÁTAME

Mátame,
envenena tu lengua,
deslízame cianuro
entre los dientes,
interrumpe
en mis arterias
el paso de la sangre,
ahógame dentro
de un suspiro
de placer o bajo el cauce
caudaloso de tu cuerpo,
asfíxiame,
haz un nudo
con palabras que hieren
porque son infinitas
y en el tiempo no caben,
hunde tu nombre
en mi garganta
que nada penetre
ni el aire
por las vías donde
sólo tú deambulas,
mátame,
haz arder
la pira de mi sexo
hasta que se calcinen
mis huesos y la imagen
que de ti llevan tallada y luego

quiébralos,
reparte los pedazos
a los perros que aguardan
el alma de los muertos,
engáñales, haz
que se traguen mi espíritu y al fin,
cuando no quede de mí
ni el envés de la sombra,
devórame el recuerdo
con las siete
letras que me nombran.
Ésta es la manera,
ésta es, amor, la manera
de no perderte más,
de no perderte nunca,
de no morirme tanto,
de no morir más veces.
Ahora, antes de que se haga
tarde para usar
el arma que conviene,
concédeme la vida
eterna de tus labios.

[De *Lógica borrosa*, 2002]

CONJURO CONTRA EL MAL, DE LAS PROFUNDIDADES

Yo quería viajar en su mirada
—él, mientras tanto, había contratado
un viaje organizado por mis arrecifes.
Quería sumergirme en el misterio
de sus aguas profundas
—él había alquilado, por tiempo indefinido,
un fuera borda que alcanzaba
la costa en tres caricias.
Quise cazar su espíritu
por las sendas salvajes de su boca
—me ofreció una biznaga y unas horas
en un hotel de tres estrellas.
Bien entrada la noche, me di cuenta
que bajo la almohada escondía
el último estribillo del verano.
Yo no tenía bolsa ni maletas,
no me costó despedirme. De vuelta
a casa le envié, sin remitente,
una vista parcial de mis encantos.

Ya nunca viajo en carne ajena,
los caminos que exploro son de tierra,
de agua los océanos que surco,
ciertos los bosques que atravieso.
Cuando de amor se trata, me basta con algunas
excursiones sencillas, sin riesgo aunque perversas,
me mantienen en forma, no malgastan
las fuerzas que reservo a los abismos.

Al fin y al cabo un hombre
es un poco de arena entre los dientes,
en el mejor de los casos, a veces,
una mota de polvo en una lágrima.

[De *Conjuros*, 2001]

COMENTARIOS

La Vanguardia, jueves, 12 de febrero 1998
LA CRÓNI CA [Joaquim Roglan]
Filosofía con ternura

Un llavero oxidado, una flor de azahar y una taza de té. La Pantera Rosa, la tristeza de Drácula, la chica moribunda que pide su lápiz de labios... No es un poema. Son algunos de los asuntos que trata la pensadora Chantal Maillard en su libro titulado *La razón estética.* Lo presentaron Jorge Larrosa y Miguel Morey ante un público que pudo escuchar que «el lenguaje de la filosofía es musical» y que «el silencio es el sonido de lo invisible en los huecos del tiempo» y todo ello impregnado en esa «extraña ternura» que envuelve los textos de la autora.

Con la ironía como hilo conductor, en el libro editado por Laertes se repasan asuntos tales como la posmodernidad, el llamado pensamiento débil y los valores que se desmoronan, «aunque no se desmorone el mundo, sino una concepción del mundo».

Chantal Maillard advirtió a sus lectores que concibe el texto filosófico y estético como un juego. Y consiguió jugar con las ideas y con las palabras. «Se habla demasiado, de falta de valores Y de catastrofismos éticos. Las quejas se deben a ciertas nostalgias aferradas a los antiguos valores. Antes los valores se anteponían a la actuación, ahora actuamos y creamos los valores. Es el conflicto entre la vida y la creencia, un nuevo modo de captar lo que nos rodea.»

Entre la ironía moderna y la ironía posmoderna, ese nuevo modo de cambiar el mundo que nos rodea permite convertir la razón y la estética en una especie de poética del pensamiento. «Seguir es el lema de lo profundo, perderse es la superficie», «movimiento de conciencia», «soledades compartidas», «lo terrible se ha transformado en conmiseración»... Son bellas expresiones dichas y escritas para pensar, aunque, según la autora, «la belleza sólo es una parte de la estética».

La presentación fue un modelo de razón y estética. Hubo momentos en que sonaba a haikus, esos breves poemas japoneses que dicen tanto en tan pocas palabras. Como cuando la autora, Chantal Maillard, de la que cuentan sigue la estela del filósofo Nietzsche y que no amagó su preferencia por un nihilismo bien entendido, recordó que «el mundo sigue, cambia, se perpetúa, pero no es necesario creer en el mundo».

Necesidad de la Ficción. Un estudio sobre los conceptos de belleza y placer en la tradición india [José Luis Pardo]

La importancia de este libro estaría ya suficientemente evidenciada por tratarse de la traducción castellana de unos textos sánscritos esenciales para comprender el modo en que la cultura de la India —y, más concretamente, el Sivaís de Cachemira— ha elaborado unas nociones en las cuales la experiencia mística y la estética cobran especial conciencia de su naturaleza. Los escritos vertidos por Óscar Pujol proceden del *Tratado de la dramaturgia* compuesto por Bahrata en torno al siglo II de nuestra era, y del *Abhinavabharati,* texto clásico escrito por el pensador Abhinavagup, en la segunda mitad del siglo X, y que resume una larga tradición de comentarios al *Tratado de la dramaturgia* que se remonta al menos al siglo VII. Pero la mera lectura de estos textos, al margen de su relevancia historiográfica y filológica, seguiría siendo un enigma para quien no posea las claves de esta tradición cultural de no ser por el iluminador estudio de Chantal Maillard que le antecede y que da título al libro. En él, su autora se interna en un sendero lleno de riesgos —el intento de hacer inteligible al lector occidental un mensaje sistemáticamente deformado por los usos populistas del hinduismo—, y lo hace al mismo tiempo con pulcritud y sobriedad. Por una parte, se hace cargo de la distancia cultural que separa la noción occidental de «estética», dominada por la categoría de *belleza,* de la idea de «placer» que encontramos en esta otra tradición, en la cual la «belleza» carece de especial relevancia; ello, no obstante, esta dificultad es para nosotros salvable precisamente porque vivimos después de la crisis de las vanguardias, que justamente llevó a la quiebra la categoría estética de belleza sustituyéndola por la de *eficacia;* la lenta agonía del posvanguardismo nos ha sumido, sin embargo, en serios problemas a la hora de determinar el tipo de eficacia que requerimos del arte. En este punto es donde resulta fructífero reparar en esa clase de *placer estético* (placer de la representación o la dramatización) que el *Tratado de la dramaturgia* denomina rasa (el «sabor» de la representación que permite que se pueda disfrutar de ella): el modo en que los elementos que crean situaciones emocionales en la vida ordinaria pueden ser «intensificados» o «universalizados» en una representación que depura en ellos la esencia que los convierte en placenteros. De este modo, la tradición india queda también liberada para un diálogo que no solamente afecta a la cultura occidental que vive después de la estética de la belleza, sino también a la que vivía antes de ella (por ejemplo, la Poética de Atistóteles y la tradición que deriva de ella). Esta reflexión es tanto más oportuna por acaecer en un momento -en que las sociedades occidentales se inclinan más que nunca al espectáculo, y al mismo tiempo el espectáculo se torna en ellas más insípido de lo que nunca haya sido. «En su conjunto», defiende Chantal Maillard, «la denominada "teoría del rasa" es una propuesta activa para la solución del problema que hoy tanto nos acucia: la necesidad de ficción, el gusto por la escenificación, por el espectáculo. El deseo de ficción ha de responder a una necesidad fundamental de nuestra naturaleza, y los autores indios han formulado una respuesta que merece ser sopesada con atención y respeto.»

BIBLIOGRAFÍA

Publicaciones

Poesía

Cinco poemas, Ed. de A. Caffarena, Málaga (cuaderno), 1988.

Semillas para un cuerpo (en colaboración con Jesús Aguado), Diputación Provincial, Soria (Premio Leonor), 1988.

La otra orilla, Qüasyeditorial, Sevilla, 1988.

Hainuwele, Publicaciones del Ayuntamiento, Córdoba (Premio Ricardo Molina), 1990.

Apuntes para una poética, Centro Cultural de la Generación del 27, Málaga (cuaderno), 1991.

Poemas a mi muerte, Ed. La Palma, Madrid, 1994 (Premio Sta. Cruz de La Palma), 1993.

Jaisalmer, Árbol de Poe, Málaga, 1996.

Conjuros, Ediciones del Minotauro, Córdoba (cuaderno), 1998.

Bangalore, HEBE, ed., Colección Dressel de Poesía, núm. 3, Málaga (cuaderno), 1998.

Benarés, Árbol de Poe, Málaga, 2000.

Conjuros, Huerga y Fierro, Madrid, 2001.

En prensa: *Matar a Platón*, Tusquets, Barcelona y *Lógica borrosa*, Colección Capitel, Miguel Gómez ediciones, Málaga

Ensayo

Presentación y traducción del *Keter-Malkut* de Salomón ibn Gabirol: Servicio de Publicaciones de la Diputación de Málaga, 1983. 2.ª edición aumentada en Editoriales Andaluzas Unidas, Sevilla, 1986, con el título *La kábala del Kéter-Malkut*.

El Monte Lu en lluvia y niebla. María Zambrano y lo divino; Servicio de Publicaciones de la Diputación de Málaga, 1990.

La creación por la metáfora; Anthropos, Barcelona, 1992.

Al crimen perfecto. Aproximación a la estética india; Tecnos, Madrid, 1993.

La sabiduría como estética. China: confucianismo, budismo y taoísmo; Akal, Madrid, 1995.

La razón estética, Laertes, Barcelona, 1997.

Rasa. El placer estético en la tradición india, Etnos-Indica, Benarés (India), 1999.

Edición, introducción y traducción: *Escritos sobre pintura* de Henri Michaux, Colección de Arquilectura, Colegio de Arquitectos de Murcia, 2000.
Edición con introducción: *La naturaleza en el arte y el pensamiento de la India*, VV. AA., Kairós, Barcelona, en prensa.
Filosofíne en los días críticos. Diarios 1996-9. Pretextos, Valencia. En prensa.

Ha colaborado con capítulos en obras colectivas y con artículos en numerosas revistas tanto de creación (como *Revista Atlántica, El signo de gorrión, Contemporáneos, Palimpsesto, El laberinto de Zinc*, entre otras), como de ensayo *(Archipiélago, Cuadernos Hispanoamericanos, Er Revista de Filosofía, Litoral, Jábega, Horizons Philosophiques, Analecta Husserlíana, Microfisuras*, entre otras).

Ha realizado (conjuntamente con Jesús Aguado) actividades editoriales, de la cual ha resultado una colección de libros (poesía, ensayo y teatro) de textos clásicos de la tradición india, editados en Benarés (India).

Ha colaborado, desde 1998, con críticas de Filosofía, Estética y Pensamiento Oriental en el suplemento cultural del diario *ABC* y colabora actualmente en el Suplemento Cultural de *El País.*

Isabel Pérez Montalbán

BIOGRAFÍA

Isabel Pérez Montalbán (Córdoba, 1964). Ha publicado los poemarios: *No es precisa la muerte* (Premio de Literatura Joven de Málaga, Ayuntamiento, 1992), *Pueblo nómada* (Ateneo, Málaga, 1995), *Puente levadizo* (Premio Barcarola, Albacete, 1996), *Fuegos Japoneses en la bahía* (Miguel Gómez Ediciones, Málaga, 1996), *Cartas de amor de un comunista* (Germanía, Valencia, 2000) y *Los muertos nómadas* (en imprenta, Premio Leonor, Diputación de Soria, 2001).

Está incluida en las antologías: *Poesía ultimísima* (Libertarias, Madrid, 1997), *Feroces* (DVD, Barcelona, 1998), *Milenio* (Celeste, Madrid, 1999) y *Voces del extremo* (Fundación Juan Ramón Jiménez, Moguer, Huelva, 1999 y 2000).

POÉTICA

Testimonio
Toda obra de arte auténtica implica una protesta contra la realidad

> «Cuanto más profunda sea la literatura, más querrá modelar la vida y más capaz será de pintar la vida de un modo significativo y dinámico.»
> LEON TROSTKY, *Sobre arte y cultura*

Soy testigo involuntario de mi tiempo: de la furia y la complicidad de mi tiempo. Y de su geografía. Sin voluntad, guardo memoria de los que vivieron en otros épocas y en otros lugares. Sin pretenderlo, soy deudora del arte contemporáneo y del anterior; de los antiguo y sus ruinas; de otras culturas, vigentes o desaparecidas, que no he vivido. Declaro en mi renta la influencia de la prensa, del cine, de la música y las de los telediarios. Tengo deudas con la literatura que otros han creado antes que yo. Prefiero no dormir para tener siempre los ojos abiertos: nunca los cierro ante la violencia, el hambre o la tiranía; nunca ante el amor y la entrega, el desamor y el vacío. Me considero víctima y partícipe de la injusticia. Quiero testimoniar, si me aseguran que habrá un juicio sin trampas, asumiendo incluso el riesgo de alguna condena. La poesía, mientras nadie me llame a declarar, es un medio activo como otro cualquiera: yo no lo elegí, me eligió ella.

Pero voluntariamente deseo abanderar mi rebeldía, denunciar a los responsables, acusar a los pasivos, a los poderosos, a los vampiros sociales, a los dictadores, a los falsos demócratas, a quienes malgastan el amor o lo destruyen. Y aceptar así mi compromiso.

CUESTIONARIO

1.—¿Cómo se engendra tu poema? ¿Dónde? ¿Cuándo? ¿Por qué?

Primero tengo la idea y luego trabajo para realizarla. No creo demasiado en el tópico de la inspiración por sí, en tener clara una idea surge y ponerse con todo lo necesario sobre ella.

Escribo cuando tengo en proyecto un libro que previamente he organizado, casi nunca escribo poemas sueltos y al azar, pero a veces un solo poema me ha llevado a estructurar un libro en torno a él. Cuando tengo una idea y una estructura básicas, aparece la necesidad de escribir. Esta necesidad es la de comunicarme conmigo; por eso escribo.

2.—¿Crees que el ambiente influye en el poeta?

Completamente. O debería influir. No entiendo que se pueda vivir en una época determinada, cuando están sucediendo determinado sucesos y el poeta escriba ensimismado en una realidad ajena y extemporánea. Por otra parte, el poeta no es más que un individuo en medio de un espacio y un tiempo, con pasado y presente, que vive y ha vivido cosas, y que conoce más allá de su entorno directo, no puede ser que todo eso esté al margen de su escritura, si produce una obra sincera.

3.—¿Cuáles son los temas que te inspiran?

Como dije antes, la inspiración no me convence, pero sí soy más sensible a unos temas que a otros, y sin excluir ninguno. Todo material me parece susceptible de ser poetizado. Tal vez me inclino a tratar los aspectos autobiográficos, pero también me han movido los temas humanos, la injusticia, los cambios sociales y las realidades inmediatas, además de todos los temas universales, afines a la poesía desde siempre.

4.—¿Cuándo empiezas a sentirte poeta?

He escrito toda la vida, desde que aprendí a leer y escribir. Pero no estoy segura de sentirme poeta todavía. Desde luego, no me he sentido poeta hasta que lo hice con cierta conciencia, supongo que después de la adolescencia y sobre todo al empezar a publicar.

5.—Si tuvieras que clasificar tu poesía, ¿dentro de qué movimiento encajaría?

Desconfío de los movimientos poéticos. Me siento lejos de las tendencias oficiales, pero contemporánea y, por tanto, con coincidencias y divergencias. No sé si puedo clasificarme en algún movimiento, pero en los últimos tiempos se me ha situado en la línea de una poesía social. No creo que persiga los mismos objetivos que tuvo la llamada poesía social, pero entiendo que hay ciertos rasgos distintivos en mi poesía que dan lugar a que me sitúen ahí, como la conciencia crítica, la ideología, la denuncia y la reflexión acerca de una sociedad presidida por las diferencias y la injusticia.

6.—¿Piensas que a la mujer poeta se le ha otorgado en el mundo literario el puesto que merece?

Es evidente que no. Aunque en las últimas décadas parece ir ocupando más espacio. La mujer, durante siglos, ha estado al margen de los accesos a la cultura. Sólo excepcionalmente han surgido voces y creadores que han destacado en las artes. Esta situación ha sido, sin duda, una consecuencia de la estructura social y económica. El cambio se produce en el sigo XX, cuando la mujer se integra (todavía con muchas diferencias) en los procesos económicos y comienza a acceder a los centros educativos (y sólo en Occidente). Pero incluso en las últimas décadas, resulta fácil constatar que gran parte del poder literario está en manos masculinas, por lo que la presencia de mujeres es menor que la de los hombres todavía. Raro, desde luego, si tenemos en cuenta que hay más población femenina en el mundo, que en una antología, por ejemplo, aparezca de forma sistemática un porcentaje ridículo de poetisas frente a la avasalladora presencia de poetas.

7.—¿Te consideras feminista en tus temas o en tu actitud?

La sociedad se divide en clases o grupos sociales antagónicos, antes que en géneros antagónicos. Son las diferencias económicas las que deciden y marcan las pautas. Como se comprenderá, me siento más lejos de una duquesa o una banquera que del operario de una fábrica. Ahora bien, teniendo en cuenta las diferencias de estos grupos, la mujer ha sido casi siempre una subdivisión de todos ellos, un escalón o varios por debajo del hombre de su grupo. En este sentido, la mujer necesita una mayor defensa ante estas desigualdades. No sé si es posible vivir delante de las injusticias que vivimos cada día y negar la evidencia, conocer las tremendas barbaridades y condiciones de vida de la mayoría de las mujeres desfavorecidas en el mundo y decir eso de «soy femenina, pero no feminista». ¿Es femenina la ablación del clítoris?

8.—¿Crees que la escritura poética tiene género?

No debería tenerlo. Somos todos personas en el mismo mundo, ante situaciones parecidas. Pero no niego que pueda haber diferencias a la hora de tratar ciertos temas, del mismo modo que se dan esas diferencias en la vida cotidiana.

9.—¿Te sientes completamente libre a la hora de escribir aunque seas mujer?

No me siento completamente libre en ningún momento, porque no creo que las personas seamos completamente libres, ni hombre ni mujeres. Ahora bien, soy más libre escribiendo que en otras actividades. No creo que en esto influya mi condición de mujer.

SELECCIÓN DE POEMAS

UN TRANVÍA LLAMADO DESEO

SIN recorrido fijo, cruza el valle
fronterizo del cuerpo, las colinas,
la soledad extrema de los guetos
y la altura más alta de un insomnio.
Su ritmo de creciente surtidor
intranquiliza el vuelo de los pájaros.

En los andenes lanza su sedal
y apila en los vagones el alijo:
pasajeros sedientos y con fiebre.

Abandona la carga en los suburbios:
la humedad, los precintos y la piel,
los abrazos, el semen, las caricias
limítrofes que nunca van a darse.
Después del viaje sólo queda
el despojo desnudo de los hombres.
Todo será pasado ardiendo
en los próximos hornos crematorios.

Ese gigante siniestro que arrastra
la osamenta de plomo conduce a la locura.
Su odisea recuerda al exterminio.

«Qué buscan nuestras almas en su viaje
sobre puentes de barcos destrozados
[...]
murmurando pensamientos rotos en lenguas extranjeras?»
YORGOS SEFERIS

PREPARATIVOS

EL viajero prepara su equipaje:
su lencería de mujer
y su ropa de hombre.

La mujer: sus perfumes
guardados para el amor. Su revólver
listo para la guerra.

Los mapas, los hoteles, las ciudades:
estaciones y puertos
que conoce y abandona. Es el color
que configura el plano de la vida.

El viaje. La frontera
entre la infancia y el deseo,
entre el naufragio y esa isla sin memoria.
Como otra piel a veces,
sus trajes masculinos le permiten
transitar por el dolor.
La mujer: el viajero travestido.

[De *Puente Levadizo*, 1996]

BILLETE DE IDA

CUANDO inicia el viaje,
frente a cada retraso presentido,
le acosa prematura la nostalgia.
Se marcha apenas con lo puesto: maletas
que niegan aquella colección de príncipes amantes
y falsa identidad y cielorraso en los bolsillos.

No mires al taxista, no, no mires las calles
como si fuera la última vez,
no pienses, no cedas al código
carcelario del fácil retroceso,
no confíes en el desarme. No es verdad
que se reduce la vigilancia en el corazón.
No permitas el chantaje de los parques,
de los días con miedo en los portales:
el pasado —aprenderás— es un ramo de ortigas
sobre la piel.

[De *Puente Levadizo*, 1996]

FRONTERA DEL CIELO

ME dicen que ya no ves el telediario, que no admites
el rostro nuevo de la política
y la cotidiana sucesión de asesinatos;
que confundes la tarde y la mañana, me dicen,
y que el tiempo es un niño travieso que te esconde
las horas en los desvanes altos de la casa.
Y a veces no recuerdas aquel cortejo de novias
que aguardaban en las verbenas
a que llegaras con tu uniforme de soldado republicano.
Pierdes la orientación y los residuos del frío
empañan tus manos;
ya no sales a pasear por las calles de Córdoba, al acecho
del latido de las piedras,
y dialogas con el silencio
en el idioma mudo del olvido.
Me dicen, en fin, que vaya preparándome
para el final: desciendes despacio
por la escalera del sueño, dejando un rastro
de ataduras y de aquellos ramos secos de margaritas
que yo recogía en nuestras excursiones al campo,
¿recuerdas, padre?:
en las carreras, siempre te ganaba.

[De *Puente Levadizo*, 1996]

ANDÉN CENTRAL

«Marcho ahora a un país lejano y sin arrugas.»
ODISEAS ELITIS

PARTÍAN los trenes hacia los suburbios,
a las llanuras de la herrumbre. No lo sabía entonces,
pero tomar aquella dirección significaba
cruzar la línea divisoria entre la humillación
y la conquista: palacios de invierno para los refugiados,
castillos de baja renta: todo estaba intacto
y los reyes con su corte
me esperaban con los brazos abiertos.
Desde el destierro
enviaría mensajes de paz a la familia:

Aquella hermana que no descubrió
la violencia de mis libros,
la conspiración de las rosas, la fuga
que planeaba al margen de su diluvio de entrega.
La hermana
que no aprendió a sorprenderme en el llanto,
no quiso nunca
capturar los alacranes
que por las noches invadían mi dormitorio y, en el desayuno,
esquivaba mis ojeras a sangre fría.

[De *Puente Levadizo*, 1996]

225

CALLE PARAÍSO

Pero el viajero no ha llegado al remanso que buscó,
sino a la noche que concreta el gráfico
de un escalofrío.
Desfila por la noche la mayoría silenciosa,
se sacrifican los trajes nupciales,
a pedradas
la censura impone la tiniebla al plenilunio
y la calle es un nido de pistoleros que cumplen
la ley del granizo.

Los niños duermen en el ancladero de sus cunas:
niños
que no vieron a esa mujer con los clavos
en las sienes y el cuello demolido
apoyada al costado de un hombre solo,
como un náufrago del mismo planeta.

[De *Puente Levadizo*, 1996]

ESTACIÓN DE LOS DÉBILES

LAS llaves de la casa que ha abandonado
todavía en el bolsillo, todavía recientes
las lágrimas
y una sucesión de golpes del caballo de espadas.
Pero ahora medirán su fortaleza,
examinarán su habilidad para la captura: los locos
lo acogerán como un regalo en el día de visita,
los enfermos se tratarán con su vacuna,
los niños renunciados se arrojarán a su regazo.

No sabe; no acierta a contener el vértigo,
el terremoto salvaje de los calendarios y el alud
de venganza que desciende por la montaña:
no es tan valiente.

[De *Puente Levadizo*, 1996]

COMENTARIOS

Poemas inéditos

Viviendas Fundación Benéfico-Social (Sector Sur, Córdoba) 1961-1965. Arquitecto: Rafael de la Hoz

Teníamos un tiesto con claveles, las copias dedicadas por la radio y un corazón de periferia con vistas a la diáspora y al tizne. Yo contaba dos años, tan blanca la memoria que no recuerdo nada, pero he visto mi barrio en una exposición de arquitectura que muestra las vanguardias y el enjambre moderno.

La vivienda social era una huida de los asentamientos marginales. Así, pensando en los más pobres y en nuestra natural inclinación al revoltijo y a la bronca, nos construyó el franquismo un polígono de casas protegidas, de refugios al margen, como nidos aislados de hipoteca.

En medio de un solar sin jardineras, ni césped verde inglés ni toboganes, se edificó una urdimbre de bloques tan idénticos, con sus cubiertas de teja a dos aguas, como idénticas jaulas de tristeza para pájaros torpes o vidas que no logran alzarse, y a ras de asfalto se mueven con sus muros de carga paralelos.

Viviendas solidarias, dijeron los ministros. No dijeron más dignas que nosotros, criaturas sin modales ni costumbre, casi bestias del campo a la intemperie. Porque un techo no basta. Porque no hay dignidad ni en la pobreza ni en el hambre.

Teníamos un cielo lapislázuli, igual que en las películas. Y un corazón a dos aguas de cauce turbulento, y un corazón a dos lavas de volcán siciliano, y un corazón a dos sangres fluyendo por los días. Teníamos un arte de realismo puro: fachadas de ladrillo visto, polvaredas del natural, secuencias al estilo de Vittorio de Sica. Y un corazón al revés, a dos aguas. Pero con una sola muerte.

Un tranvía llamado deseo

Sin recorrido fijo, cruza el valle fronterizo del cuerpo, las colinas la soledad extrema de los guetos y la altura más alta de un insomnio. Su ritmo de creciente surtidor intranquiliza el vuelo *de los pájaros*.
En los andenes lanza su sedal y apila en los vagones el alijo: pasajeros sedientos y con fiebre.
Abandona la carga en los suburbios: la humedad, los precintos y la piel, los abrazos, el semen, las caricias limítrofes que nunca van a darse. Después del viaje sólo queda el despojo desnudo de los hombres. Todo será pasado ardiendo en los próximos hornos crematorios.
Ese gigante siniestro que arrastra la osamenta de plomo conduce a la locura. Su odisea recuerda al exterminio.

BIBLIOGRAFÍA

Poesía
No es precisa la muerte (Premio de Ciudad de Málaga de Literatura Joven, Ayuntamiento, 1992).
Pueblo nómada (Ateneo, Málaga, 1995).
Puente levadizo (Premio Barcarola, Diputación de Albacete, 1996).
Fuegos japoneses en la bahía (Miguel Gómez Ediciones, Málaga, 1996).
Cartas de amor de un comunista (Germanía, Valencia, 2000).
Los muertos nómadas (Premio Leonor de Soria, Diputación, 2001).

Está incluida en las antologías:
Poesía ultimísima (Libertarias, Madrid, 1997).
Feroces (DVD, Barcelona, 1998).
Milenio (Celeste, Madrid, 1999).
Voces del extremo (Fundación Juan Ramón Jiménez, Moguer, Huelva, 1999 y 2000).
Poesía andaluza en libertad (Corona del Sur, Málaga, 2001).

Rosa Romojaro

Biografía

Nací en Algeciras (Cádiz), en la calle Alfonso XI, más conocida como calle Convento, en el número 10. Mi padre era de Santander, mi madre de Valladolid. Cuando se casaron estuvieron una temporada en Cazorla (Jaén), donde mi padre instaló su consulta de médico. Allí pasaron la guerra civil. Allí nacieron mis dos hermanas mayores. Acabada la guerra se trasladaron a Algeciras, donde nacimos mi hermano y yo. Soy la menor de los cuatro hermanos. Mi madre, que había estudiado magisterio y había trabajado en las secretarías de distintos ministerios, en Madrid, consiguió una plaza en la Escuela de Artes y Oficios de Algeciras, ocupándola hasta su jubilación.

Estudié el bachillerato en el Instituto de Algeciras, excepto el 5.º curso, que lo pasé en Málaga, interna en un colegio de monjas. Más tarde inicié la carrera de Filosofía y Letras en Sevilla, trasladándome a Granada para cursar la especialidad (Lenguas Románicas). Antes de acabar la carrera, ya me había casado y había tenido una hija. Finalizados los estudios universitarios, encontré muy pronto trabajo como profesora de Lengua y Literatura en el I.B. de Coín (Málaga). Para entonces, ya vivía en Málaga, y durante cuatro años me trasladé a Coín, hasta conseguir un puesto en el I.B. «Cánovas del Castillo» de Málaga, donde permanecí como profesora agregada y luego como catedrática hasta obtener la plaza de profesora de Crítica Literaria y, luego, de Literatura Española, en la facultad de Filosofía y Letras de Málaga. Antes (en 1984) había leído en esta Universidad mi tesis de doctorado sobre las funciones del mito clásico en la lírica de Lope de Vega, precedida, asimismo, de la memoria de licenciatura sobre una parcela de este mismo tema.

La vuelta a Málaga coincide con el nacimiento de mi segunda hija y con la ruptura de mi matrimonio, que los tribunales habrían de considerar nulo algo más tarde. Así que, soltera nuevamente y con dos hijas, centro, en estos años, mi vida en ellas y en mi trabajo como profesora, así como en la investigación y en la creación literaria. En cuanto a ésta, hasta los años 80 sólo había publicado algunos relatos en revistas universitarias. De finales de los 70 es mi primer poema publicado, y de 1983 *Secreta escala*, la primera *plaquette*. En 1985 publico *Funambulares mar*, y en 1986, recopilo parte de mi poesía en el libro *Agua de luna* (Málaga). Le siguen, en 1987, un adelanto de *La ciudad fronteriza*, editado por Ángel Caffarena, que había obtenido una Ayuda a la Creación Literaria, y, a finales de 1988, el libro completo (Granada).

Por estas fechas cambia de nuevo mi vida: me vuelvo a casar; me dedico con más intensidad a la investigación y a mis clases en la universidad. Sólo rompo el silencio creativo en 1992, con la novela *Páginas amarillas* (Barcelona), y con algunos poemas sueltos publicados en distintos medios de comunicación; el resto de mi producción literaria de este tiempo lo constituyen artículos críticos referentes al Siglo de Oro, a literatura contemporánea y a crítica literaria, una edición antológica de la poesía de José Moreno Villa (Sevilla) y dos libros de ensayo: *Lope de Vega y el mito clásico* (Málaga) y *Funciones del mito clásico en el Siglo de Oro (Garcilaso, Lope, Góngora, Quevedo)* (Barcelona).

A finales de la década de los 90, decido presentar uno de los poemas del nuevo libro que entonces escribía al Premio de Poesía «Manuel Alcántara». El obtenerlo me anima a continuar en las claves del libro completo, que, una vez finalizado, presento al Premio «Ciudad de Salamanca», obteniéndolo también. Se trata de *Zona de varada*, publicado en 2001, en Sevilla. Antes, en 2000, los organizadores del anterior certamen me piden que reúna un conjunto de poemas para acompañar la publicación del poema premiado, y reúno en torno a él poemas que tienen que ver con la propia escritura: *Poemas sobre escribir un poema y otro poema* (Málaga, 2000).

Actualmente, sigo escribiendo; tengo en proyecto un libro de relatos y un nuevo libro de poemas, y colaboro semanalmente en el diario *Sur* de Málaga con artículos de opinión.

Poética

Cuando me pregunto qué cambios ha habido en mi poesía desde aquellos primeros poemas iniciales hasta los de mi último libro, me doy cuenta de que los cambios fundamentales obedecen al modo de enfrentarme al poema. Es cierto también que en aquellos primeros textos ya existían dos vertientes en mi propia poesía, dos modos de mirar distintos, la mirada desde dentro de mí misma, y la mirada desde el exterior, y que estos dos modos se plasmaban en el poema en dos registros distintos: el uno más hermético, más barroco; el otro más esencial, más claro, más objetivo. Mi libro *Agua de luna* recoge estas dos tendencias que, incluso, se concretan en temáticas distintas. Hermetismo y barroco casi siempre para encubrir lo erótico y amoroso. Esencialidad en mi poesía más narrativa y descriptiva. Este libro acaba con una serie de haikús, y pienso que podría haberme instalado definitivamente en este tipo de poesía objetivista que me interesa mucho, sin embargo, la vida siempre se ha impuesto en lo que escribo y mis poemas derivaron hacia una fusión de lo objetivo y lo emocional. El resultado es el distanciamiento, la tensión entre lo pasional y la contención. Creo que también aquí interviene un modo especial de enfrentarme al poema, la mirada que podría tener el ojo de una cámara fotográfica tanto sobre la historia y el escenario del poema, como sobre la sensación y el sentimiento. Éstas podrían ser las primeras claves de mi poética: la fuerte carga emocional y la tensión producida por un intento de distanciarla, de objetivarla, de contenerla, todo unido a un punto de vista que indaga en lo externo, en las cosas, como reclamos, como correlatos, de lo que quiero expresar.

Si *Agua de luna* (1986) constituía una especie de antología de lo publicado hasta entonces, y era por tanto un libro más misceláneo, *La ciudad fronteriza* es ya un libro unitario, casi una historia que habría que leer en orden lineal, formalmente muy elaborado. Un cambio de tono penetra también en estos versos que, no obstante, ya se preludiaba en el libro anterior: de la plenitud, del júbilo, en estos poemas, se pasa a la perplejidad, al desarraigo, al desahucio, a la extranjería. El título tiene también una doble lectura. Por una parte, es una metáfora de una realidad mental, una situación fronteriza, la sensación de estar viviendo una situación límite, y, por otra, es la imagen de una realidad física: la ciudad que atraviesa el libro es una mezcla de la ciudad de mi infancia, Algeciras, con sus muelles, su tránsito, su luz movediza, y de Málaga, la Málaga que entonces yo vivía, sus calles, su riesgo cuando la atravesaba de noche a la vuelta del trabajo... Hay también bastantes poemas de interior, de la propia habitación donde escribía, que tienen que ver con ese intento casi fotográfico de captar el momento como en una instantánea. Incluso muchas de las imágenes del libro están relacionadas con las fotos que yo hacía entonces, con la técnica que empleaba: indagar más allá de la mera presencia de las cosas. Más tarde, en el libro *Poemas sobre escribir un poema y otro poema*, recopilé una selección de estos poemas «de interior», referidos al momento de escritura.

Hay sutiles continuaciones temáticas entre *La ciudad fronteriza* y *Zona de varada*, mi último libro, e incluso una serie de constantes que se mantienen en los dos poemarios. Pero en cuanto al aspecto formal, en *Zona de varada* quise dar un paso adelante, intenté acoplar mi propio ritmo interno, sin traicionarlo, a la métrica tradicional. El resultado es una música distinta a la que nos llega de la tradición, quizá por el uso que hago de los encabalgamientos y por haber introducido ritmos acentuales un tanto olvidados. Al alternar este tipo de métrica con el verso blanco, creo que la variedad rítmica se acentúa.

También el título *Zona de varada* responde a una doble intención. Por una parte, apunta a la zona donde los marineros sitúan las barcas para desguazarlas o carenarlas, y, por otra, al estado del sujeto poético: un estado de vacío, el de la sensación de quien está en espera, en suspenso, como puesto en un sitio, de recuperación en la propia dejadez y el propio abandono. Será la serie de sonetos que abre el libro la que desarrolle esta imagen. Mi intento era hacer poesía de este vacío y esta nada. En esta primera serie ideo un escenario en el que hay una mujer, como una de estas barcas, en un recodo solitario donde no hay nada, sólo este paisaje marítimo y los cambios del día en el horizonte acotado. Luego, estos mismos poemas se fueron abriendo a otros temas (el recuerdo del pasado, la magia de la naturaleza, la elección del lugar como una huida, el presagio de la muerte, la agresión de lo externo, la búsqueda del silencio, la huida de esta huida). Esta temática se intensifica y se concreta en la segunda parte del libro, «Los lugares del día», aquí el pasado se manifestará como una pérdida, la muerte mostrará su presencia, la naturaleza nos enseñará sus prodigios... Y en ambas, como en mis poemas anteriores, el intento de fijar el espacio y el tiempo, tanto del momento de escritura, como de lo evocado en el poema.

Cuestionario

1.—¿Cómo se engendra tu poema? ¿Dónde? ¿Cuándo? ¿Por qué?
En principio, tengo que sentir la necesidad de crear poesía. Normalmente no me planteo poemas aislados, sino series o libros. Tengo que apartar las demás cosas que ocupan mi mente, y que los poemas se conviertan en lo más importante para mí. Voy creando un clima propicio a la escritura, en el que intento que todo esté conectado con lo que escribo, desde una lectura a un paseo.

Tiene que existir una sensación, una emoción, o el recuerdo de ellas, esa nebulosa primera a la que se quiere dar forma. Si lo que me planteo es un libro o un cuaderno unitario, generalmente, tengo que tener también clara una serie de premisas formales que yo misma me impongo, siempre contando con los módulos y metros que me son más afines o, a veces, con retos que quiero conseguir. Todo esto, creo, va haciendo que mi concentración, con respecto a lo que escribo, se fortalezca. Algo para mí indispensable.

Con todos estos requisitos, el germen del poema puede surgir en cualquier lado y en cualquier momento. Tomar alguna nota sobre imágenes o pensamientos concretos que acuden de improviso, me ayuda para desarrollar este germen en el escritorio.

El porqué de todo esto es esa necesidad imperiosa, que nace de lo más profundo de uno mismo, por dar cauce, mediante las formas concretas de la poesía, a lo que se quiere expresar.

2.—¿Crees que el ambiente influye en el poeta?

A mí me ha influido y me influye mucho. Me refiero al ambiente particular. Especialmente familiar. Y no sólo para escribir poesía, sino para cualquier tipo de escritura de creación. Necesito sosiego, concentración. (Incluso la falta de unas condiciones adecuadas, pienso que puede llegar a incidir en la temática y en la forma de lo que se escribe.) Siempre me ha sucedido: necesito sentirme libre y no tener resquicio alguno de culpabilidad por encerrarme a escribir. Y esto no siempre sucede. El dilema entre lo que se quiere y lo que se debe hacer. No haber tenido claro en muchas ocasiones que lo que se debe hacer es lo que uno quiere hacer.

La casa también es muy importante. El lugar. El sitio donde uno escribe, su espacio. Sin embargo, últimamente me doy cuenta de que no se puede ir contracorriente, que, si el sitio falla, hay que intentar amoldarse un poco a lo que se tiene en un momento determinado. Lo contrario es paralizante.

En general, creo que sí, que el ambiente puede influir mucho en el creador, para bien o para mal. Aparte de ese deseo, de esa necesidad interna que todo escritor siente y que es lo que le lleva a la escritura, el ambiente adecuado puede facilitar esa dedicación casi completa que se requiere para que uno se entregue a esa tarea ardua que es la escritura. Todos los obstáculos son negativos. Y entre ellos, la dispersión: tener que atender obligatoriamente a otras tareas. O la falta de silencio. O tantas otras cosas.

3.—¿Cuáles son los temas que te inspiran?

Creo que uno no sabe bien los temas que le inspiran hasta que los libros están ya hechos. Y no se puede decir que nos inspiren, sino que necesariamente han de estar reflejados en los textos porque son parte de nuestras obsesiones a la hora de escribir el poema. A veces, también existe un cambio de tono en el tratamiento del mismo tema y, así, del amor se pasa al desamor, o del júbilo a la melancolía.

En mis poemas iniciales predominaba el tema amoroso, quizás, también la plenitud de la vida. Sin embargo, ya en *La ciudad fronteriza* se descubre que la vida está sujeta al leve hilo de la muerte, y el amor a su contrapartida. En este mismo libro aparece el tema de la identidad, sujeto también a la pérdida de la misma, a cómo lo accidental y fortuito puede trastocar la conciencia de uno mismo. De aquí, otros temas, como el azar, el vacío, lo oculto, la vulnerabilidad, la amenaza, el desahucio, la sensación de irrealidad, el desarraigo. Y, al mismo tiempo, la escritura como una forma de indagación en uno mismo y en el entorno. Ya en este libro había muchos poemas de interior, del hecho mismo de estar escribiendo el poema, un intento de fijar el espacio y el tiempo de escritura, de fijar también los espacios y tiempos de la memoria.

En *Zona de varada*, la imagen de la barca esperando la carena o el desguace fija bien la actitud del sujeto poético, una actitud como de espera, de inmovilidad, sin saber bien para qué. Desde esta nada y este apartamiento, van surgiendo los restantes temas del libro: el pasado como una pérdida; el presagio de la muerte; su presencia; las pequeñas cosas que nos sobrevivirán cuando no estemos; la agresión de lo externo; la búsqueda del silencio; la naturaleza como un prodigio, la huida...

4.—¿Cuándo empiezas a sentirte poeta?

Me recuerdo escribiendo desde niña, pero no me es posible dilucidar ahora si aquellos primeros textos podrían considerarse poemas. No era consciente de ello. Volcaba todo lo que sentía en diarios. Mis primeras publicaciones fueron relatos, pero una vez que me quedo sola en mi casa, con mis hijas, después de mi ruptura matrimonial, con veintitantos años, comienzo a escribir poemas. Siento la necesidad de escribir poesía, y lo hago, y poco después comienzo a publicarla.

5.—Si tuvieras que clasificar tu poesía, ¿dentro de qué movimiento encajaría?

Los críticos han hablado de neobarroco, de neopurismo, de imaginería, de cuidado de la forma, de distanciamiento, de misterio, de lo intelectual fusionado con lo emocional.

Creo que mi poesía es una poesía de silencios, de sugerencias. Intento que nada sobre. En este sentido es sintética, contenida. Cada vez más elaborada, más trabajada, más exigente. En ella juego con el entorno, con mi mirada sobre las cosas y con mi interior, intentando que todo se aúne en el poema.

Me han situado en la línea de Eliot, de Guillén, y últimamente, me han relacionado con algunos poetas de los 50. Y siempre con el barroco, filtrado y depurado por el simbolismo y Mallarmé.

6.—¿Piensas que a la mujer poeta se le ha otorgado en el mundo literario el puesto que merece?

En absoluto. Para empezar, y siguiendo con la idea de que el ambiente es muy importante en el desarrollo del escritor, hasta hace muy poco, la mujer estaba determinada a menesteres ajenos a la creación literaria. Carecía, por otra parte, de la formación, que si no fundamental, también es necesaria en todo escritor. La mujer que se dedicaba a la poesía era considerada o una cursi o una extraviada, y muy pocas mujeres —las que además de ser valientes tenían la suerte de estar inmersas en un círculo literario— conseguían destacar. En general, todavía estos tópicos pululan sobre las cabezas de las mujeres poetas, a pesar de los cambios que han tenido lugar desde el siglo XX. En cuanto al momento que vivimos, aunque hay mujeres que han sabido abrirse camino en el mundo de la poesía, hay otras muchas, valiosas, a las que constantemente les cuesta un gran esfuerzo que se reconozca su valía. Existe como una especie de duda en el inconsciente sobre su capacidad.

7.—¿Te consideras feminista en tus temas o en tu actitud?

Defiendo mi dignidad como mujer, lo mismo que la defendería como hombre si lo fuera. De mi experiencia vital, pienso que deben de surgir temas y motivos que tienen que ver con mi condición de mujer. Pero, probablemente tienen que ver más con mi propia vida. En cuanto a mi actitud, no soy una abanderada del movimiento feminista. Mis reacciones públicas ante el abuso por cuestiones de género son puntuales y concretas; en cuanto a mis relaciones personales y sociales, tengo muy clara la igualdad entre hombres y mujeres y defiendo día a día los derechos de la mujer.

8.—¿Crees que la escritura poética tiene género?

No.

9.—¿Te sientes completamente libre en el momento de escribir aunque seas mujer?

Sí.

10.—¿Qué te gustaría lograr como escritora?

Buenos libros.

SELECCIÓN DE POEMAS

SOUVENIR 1920

> «Pero ¿y la margarita? del copero
> —dijo el jardín— yo la celé en la boca.»
> IBN AL-ZAQQAQ

SE miraban a sí y en los espejos
del ascensor. Eran bella pareja
destellando el neón tenues reflejos
de la cálida luz que el amor deja

encendida en los ojos. A lo lejos
la ciudad ofreciéndose en bandeja
de música callaba entre los viejos
arcos. Plaza Mayor. Allí se queja

el frío de febrero en los dinteles
y él la ciñe hacia sí y le regala
el último recuerdo: el camarero

como un copero árabe resbala
la sonrisa y la flor en los manteles:
son las que lleva ella en el sombrero.

[De *Agua de luna*, 1986]

WEEK-END

POR qué allí ella descubriendo los ángeles,
la flor de camomila, la vela en los moteles,
los salones efímeros en hilos telefónicos,
los preceptos precisos del cerrado decir,
y el querer despacioso.
Si venía del sur:
por qué no adormideras de ventiscas y luna.

Capitales de agenda. Semáforos en ámbar:
nunca los búhos tuvieron los ojos tan redondos.

[De *Agua de luna*, 1986]

RITO

Bañarse en este río y ungir la piel de almizcle
desnuda de la sombra que queda como un lienzo
deslizado en la orilla,
tiene efectos de láudano, de opio de amapolas:
lasitud del olvido:
agua dulce acotada por una sola imagen.
La sal de los océanos hiere como el diamante
el cristal de los ojos. No más mar.
No más mar sin acero,
ni islas
de papel japonés como la luna.
Agua de luna dulce bebida en esta copa,
en los labios besada que la besan.

[De *Agua de luna*, 1986]

CÁMARA LENTA

Los arqueros afinan
la punta de sus flechas:
Sebastián mira.

No ven el arco
los ojos en la altura:
sólo la lluvia.

Terso el costado:
la flecha de marfil
acierta el blanco.

En la tormenta
un cuerpo como un álamo:
Sebastián: blanco.

Dura un instante
lo que dura un silbido
y el cuerpo es río.

[De *Agua de luna*, 1986]

DIPLOMACIA

Anochecida.
El pinar se disuelve
en trementina.

[De *Agua de luna*, 1986]

TRÁNSITO

El cuerpo se hace un muro de nieve entre las cosas:
papel parafinado donde resbala el signo.
Como un tapiz vacío la voluntad se extiende
en oquedades. Nada pesa:

el humo del cigarro escribiendo en el aire
un epigrama, el hilo del teléfono
—*ne me quittes pas*—, la ceniza en el folio.
En el claror del cuarto una sombra de nube

insegura planea. Es un país sin nombre
la mañana: fugaz fondeadero
o ciudad fronteriza. Como desconocidos
en una calle ajena, se abren paso los ojos:

«¿Quién está ahí?» La mano se detiene
en la página muda: un salón desolado.

[De *La ciudad fronteriza*, 1987-88]

VIENA 212
[Cosas que matan]

ERA la última vez. La misma habitación
numerada: caso de reincidencia
a punto de archivarse. Igual que en la cubeta
de revelar, la penumbra ofrecía

el perfil de las cosas como un álbum
de asesinos a sueldo: la redondez del hombro,
los vestidos vaciados, el brillo de la llave

con la cifra (ella vio en la pared
una señal de muerte por el juego de sombras)
no fueron sólo pruebas de munición oculta

bajo fondos fingidos. Más tarde, en la memoria,
las calles de noviembre —*The third man*—
y la voz empañada por el vaho de los cuerpos.

[De *La ciudad fronteriza*, 1987-88]

ERROR

EN el cruce de esquinas, desde la bocacalle,
la ráfaga de viento con aroma de kif,
y la calle vacía. Previendo fumadores,
o murmullos en ventanas abiertas,

uno se vuelve: nada oye ni ve:
ni un rumor de ojos al cerrarse,
ni, próxima, una sombra. De modo involuntario,
uno se palpa y busca su calco en el arcén

—es lisa la ciudad, sin huellas,
como un anteproyecto—, admite entonces
que debe de soñar en otro sitio

(y entra en la embocadura).

[De *La ciudad fronteriza*, 1987-88]

MARIENBAD

SE desprende de un aro una burbuja
y su cara se aleja entre las ramas:
quizás un día acuda a la ciudad
donde las aes se abren como diques de un río.

Hay viento. Los paneles matizan la violencia.
Sólo siente en la piel el apacible roce
del aire del verano cuando ya todo acaba.

¿Nada más? Nada más. El mundo no era mágico.
Ni es mágico este aire, ni el azar descubierto
en las hojas del libro cuando lee *balsamina*

y levanta los ojos y ve la balsamina
reflejarse en las aguas de acero de las balsas.

[De *La ciudad fronteriza*, 1987-88]

FOLIO ATLÁNTICO

Asume que es su cara la que está en el espejo.
Se miran. Ella escribe: en la estela del folio
una lenta cicatriz es su trazo.
Cuando la luz desista cerrará los cuadernos
y se irá para siempre. Todo acaba.

Alguien sigue embalando objetos de cristal
con periódicos ocres: cada copa un quejido.
El viento en las vitrinas da cebras como el agua.
Donde acude no habrá cebras de agua, ni pájaros
de espuma, ni vidrieras que guarden

su silencio y su gesto. Nada habrá.
Miradla sobre el folio en la línea de sombra:
parece que quisiera grabar en el papel
sus huellas dactilares, túneles
por donde huir del propio desalojo.

En el suelo un relieve y, en la pared, el rastro
como el calco de un crimen por la espalda:
un deambular de uñas que arrancan los recuerdos
hay. Irá todo a parar a los depósitos:
sus lápices, el sofá donde amó,

el hilo de saliva del teléfono,
el puñal. Ella escribe: como en los embalajes
que esponjan las siluetas de los tarros vacíos,
poseído y desnudo —habla del acechado.
Pasos en el cemento y las hojas se agrietan,

después, un tintineo de crótalos, y pasan
como un río amarillo o una pálida vida.
Nada queda. Desclavan los tapices:
encontrarán la herrumbre de una llave
o el verdín de una carta o el óxido de un labio:

ecos de lo que pudo ser,
como una espada. Buceando
unos ojos, remotos como mares inéditos,
en el espejo, ella; y en la página: el nombre,
sumergido con el fulgor oscuro

de un naipe en la penumbra. El tránsito, las manos
que desguazan anillas de metal,
los punzones que horadan las maderas
buscando el doble fondo y el secreto:
encuentran el vacío. Nada hay. Más allá.

ella (cae la cal como nieve
en el espejo y se abaten los ojos).
Con vetas de memoria de consolas,
brilla el mármol desierto, blanco
donde llega la noche sin aviso. En el folio:

a los muelles de la ciudad: los muelles
sin memoria. La luz ha renunciado.
Sólo se escucha, débil, el chasquido de un muro.
En la calle, alguien mira la casa abandonada
y descubre la ausencia en el espejo.

[De *La ciudad fronteriza*, 1987-88]

ALGUIEN EN UN LUGAR

¿ÉSTE es el silencio? Y ese tenue
rodar que no cesa: ¿qué es?
¿Éste es el silencio? Ha habido tanta vida
entre este silencio y aquel otro

que olvidó la memoria su textura.
Es esto lo que hay. Quizás nunca existió
otra cosa distinta y fue la misma vida

la que horadó las sienes con su broca.
Esto es lo que hay: alguien en un lugar
y, fuera, más allá del cerco de los montes,

una ciudad blindada que aún guarda entre sus hierros
la caja del comienzo de lo que no pasó.

[De *Zona de varada*, 2001]

EL ESPACIO CERRADO

«Dejó de ser en un día de noviembre,
el mes de las siluetas.»
J. A. Ramos Sucre, *El extranjero*

El silencio de nuevo. Y las paredes
blancas. No son las mismas. Ni el mismo perro cruza.
Sigue siendo noviembre, el mes de las siluetas,
y todo se ha perdido: el espacio y la luz:

la hora en la mirada cuando el agua del tiempo
corría en las baldosas y llevaba la tarde.
No ha habido tarde aquí, tan sólo en el reloj:
el espacio cerrado de esta ciudad de sombras

y garitas de truenos. En los vanos
de ventanas sin nombre la luna dejará
de existir si se abaten los ojos

o la aguja declina en un segundo:
luna cuadriculada por rejas y por redes,
retina de luciérnaga. El oído se afila:

chasquidos en el muro. No los de ayer,
reconocidos siempre. Alguien vivió en la casa.
No se sabe su historia. Pudiera ser la mía.

[De *Zona de varada*, 2001]

RECUERDA

Esas copas que brillan como llama
y que laten al tacto de metales
ligeros —tantas copas—; esa trama
que, sobre cal, dibujan, verticales,

las hileras de libros en tapices
de olvido —tantos libros—; todos esos
atajos y caminos de matices
parejos que descubre la luz, presos

entre los montes —tantos—. Tantas cosas
iguales y cercanas, ordenadas
y juntas son, más aún que las rosas,
más aún que el reloj o las azadas,

recados de la muerte: faltará
tiempo para vivirlas todas ya.

[De *Zona de varada*, 2001]

CONVALECER EN DUERMEVELA

EL mirador y, más allá, la reja
y, más allá, la tapia, la alambrada
y el monte: es lo que ven los ojos cada
tarde (la luz, sobre la cal, no deja

que se mantengan fijos). La madeja
del tiempo se devana en esta nada
inmóvil del reposo, en la ensenada
amable de las horas. ¿Una queja

se escucha? ¿O es esa flecha la que trina
en el vuelo? ¿Dolor o golondrina?
Bajo el embozo tibio como un beso,

ni ave ni dolencia es el latido
del dócil duermevela: paso ileso
en las sombras: fugaz río de olvido.

[De *Zona de varada*, 2001]

COMENTARIOS

Algunas citas de críticos y escritores

«Lo que no admite la poesía de Rosa Romojaro es la vana utillería, las fórmulas reiteradas que se convierten en rasgos de estilo, la palabra como comodín. En *Agua de luna* nos había ofrecido un barroco sin imposturas en el que el erotismo, sin negarse, se plegaba a la sabiduría de las formas y al pudor. En *La ciudad fronteriza* una constelación de símbolos creará el espacio desolado de una ciudad en negativo, ajena y fronteriza, con calles vacías, trenes detenidos y andenes de la nada donde el desconocido es un ser desalojado.» [José Ramo, «Con Rosa Romojaro en la ciudad fronteriza», en *El Péndulo*, II, 16, p. 38.]

«La obra de Romojaro se tensa en una admirable nitidez enunciadora, de cosa en sí, exenta, que la emparenta no ya con el objeto barroco puro, sino con la gran poesía sin más, la que siempre ha conseguido que fondo y forma sean indisociables.» [Álvaro García, «Sobre la poesía de Rosa Romojaro», en Rosa Romojaro, *Poemas*, Universidad de Málaga, Aula de Letras 2000-2001, p. 3.]

Sobre *La ciudad fronteriza*

«Con *La ciudad fronteriza*, Rosa Romojaro se convierte en una voz ineludible de la última lírica española. Ha vertido, con sabiduría, una historia aflictiva en formas apretadas, densas, distantes siempre de la incontinencia verbal y del desbordamiento efusivo. *La ciudad fronteriza* es una muestra modélica de trabajo poético serio, profundo.» [Miguel García-Posada, *ABC Literario*, 29-4-1989, p. V.]

Sobre *Zona de varada*

«Con *Zona de varada*, Romojaro atraviesa una nueva frontera a la búsqueda de la exactitud expresiva, y nos conduce mediante su sintaxis y su ritmo privilegiados a un universo lleno de matices y de sensibilidad, de verdadera poesía.» [Bienvenida Robles, *Al Día. Libros (Sur)*, 9-6-2001.]

«Lo más significativo es que la firme operación intelectual que implica este discurso no veda la emoción. El extremo rigor formal en modo alguno neutraliza el sentimiento.» [Miguel García-Posada, *ABC Cultural*, 29-9-2001, p. 17.]

«Poesía objetivista, descriptiva, que gusta de la imagen sorprendente, de contemplar la cotidianidad desde ángulos inéditos.» [José Luis García Martín, *El Cultural*, 11-7-2001, p. 12.]

«En Rosa Romojaro la emoción va por dentro; su verso, que parece frío, abrasa.» [José Luis García Martín, *El Cultural*, ibíd.]

«Poesía urbana, colección de diapositivas, juego de luces y sombras, sigilosa novela negra, crónica de una muerte anunciada, artificio evidente y secreta pasión, *Zona de varada* es un libro sabio y distanciado, antipático por ello para el lector apresurado que sólo busca que le hagan cosquillas en el oído y en el corazón. Un libro intelectual y cordial. Una elegía que no se atreve a decir su nombre, y que por eso mismo nos emociona doblemente.» [José Luis García Martín, *El Cultural*, ibíd.]

Bibliografía

Libros
Poesía
Secreta escala. Málaga, Universidad, 1983.
Funambulares mar. Málaga, Public. de la Librería Anticuaria El Guadalhorce, 1985.
Agua de luna. Málaga, Diputación Provincial («Puerta del Mar», 28), 1986.
La ciudad fronteriza. Málaga, Nuevos Cuadernos de María Cristina, ed. de Ángel Caffarena, 1987.
La ciudad fronteriza. Granada, Don Quijote, 1988.
Poemas sobre escribir un poema y otro poema. Málaga Digital («Enclave de poesía», 8), 2000.
Zona de varada. Sevilla, Algaida, 2001.

Novela

Páginas amarillas. Barcelona, Anthropos («Ámbitos Literarios/Narrativa»), 1992.

Ensayo

Antología poética. Introducción, selección y notas a José Moreno Villa. Sevilla, Don Quijote (Biblioteca de la Cultura Andaluza, 88), 1993.

Lope de Vega y el mito clásico. Servicio de Publicaciones de la Universidad de Málaga, 1998.

Funciones del mito clásico en el Siglo de Oro (Garcilaso, Lope, Góngora, Quevedo), Barcelona, Anthropos, 1998.

Bibliografía crítica sobre poesía y novela (referencias localizadas)

Rafael Pérez Estrada, «Introducción» a *Rosa Romojaro*, Málaga, Public. del Centro Cultural de la Generación del 27, 1986.

Miguel García-Posada, sobre *Agua de luna*, ABC Literario, 4-4-87, p. 4.

Enrique Baena, «Nota a la edición» de *La ciudad fronteriza*, Málaga, Nuevos Cuadernos de María Cristina, 1987.

Justo Navarro, «Lectura de Rosa Romojaro», *Sur Cultural*, 4-7-87, p. 1.

Luis Alberto de Cuenca, «Poesía. Rosa Romojaro» (sobre *La ciudad fronteriza*, 1987), *Bulevar*, 3, febrero 1988, p. 8.

Manuel Laza Zerón, «La palabra trasatlántica (Acerca de *La ciudad fronteriza* 1988 de Rosa Romojaro)», *Sur*, 26-2-89, p. 29.

Antonio M. Garrido Moraga, «Poética de un desconocido. Rosa Romojaro» (sobre *La ciudad fronteriza*, 1988), *Sur Cultural*, 1-4-89, p. 3), reproducido en *Teoría y práctica de la crítica literaria*, Málaga, Universidad, 1990, pp. 205-208.

Miguel García-Posada, sobre *La ciudad fronteriza* (1988), *ABC Literario*, 29-4-89, p. 5.

Isabel P. Montalbán, «Rosa Romojaro: La intuición de una carta escondida» (entrevista), *El Sol del Mediterráneo*, 2-4-90, «Cultura», p. 12-13.

Francisco Cumpián, «Rosa Romojaro», en «Málaga oculta en la luz (7 poetas)», *Poesía*, Madrid (Ministerio de Cultura), 33, 1990, pp. 152-153.

José Luis Reina, «Andalusische Lyrik», *Park. Zeitschrift Für Neue Literatur*, Berlín, 39-40, julio 1991, pp. 28-31.

Elena Barroso, «Rosa Romojaro», en *Poesía andaluza de hoy (1950-1990)*, Sevilla, Editoriales Andaluzas Unidas, 1991, pp. 43-45 y 305-314.

Sharon Keefe Ugalde, «Introducción» y «Conversación con Rosa Romojaro», en *Conversaciones y poemas. La nueva poesía femenina española en castellano*, Madrid, Siglo XXI, 1991, pp. VII-XIX (algunas referencias) y 111-126.

Sharon Keefe Ugalde, «Spanish Women Poets on Women's Poetry», *Monographic Review*, pp. 128-137.

Sharon Keefe Ugalde, «Ophelia. Self-Discovery and Female Discourse in Rosa Romojaro's "Minué"», Ponencia. Congreso de la Asociación Americana de Profesores de Español y Portugués, Chicago, 10-14 de agosto de 1991.

«Más allá de las palabras. II. Rosa Romojaro», en Francisco Rico (ed.), *Historia y crítica de la literatura española*, IX, Barcelona, 1992, pp. 232-233 y 96, 118, 145).

Alfredo Taján, «Poesía femenina», *Sur*, 6-10-91, p. 20.

Ramón Reig, *Panorama poético andaluz. En el umbral de los años noventa*, Sevilla, Guadalmena, 1991, pp.136, 245, 255.

«Cincuenta poetas y sus obras», *Babelia* (*El País*), 27-6-92, p. 15.

Manuel Alberca, «Sobre *Páginas amarillas*», *Sur Cultural*, 343, 2-5-92, p.1.

Carlos Galán, «Juego de espejos de una narradora novel», «Cultura» (*Alerta*, Santander), 12-6-92.

Alberto Torés García, «Una intensa novela de Rosa Romojaro. *Páginas amarillas*, meditación sobre la angustia y el miedo», *Las Provincias* (Valencia), 3-7-92.

Miguel García-Posada, «La lectura como exorcismo. El universo obsesivo de Rosa Romojaro», *Babelia* (*El País*), 18-7-92, p. 11.

Ricardo Senabre, sobre *Páginas amarillas*, *ABC Cultural*, 24-7-92, p. 11.

Carlos Losilla, sobre *Páginas amarillas*, «Libros» (*El Observador*, Barcelona), 3-9-92, p. 5.

José Gabriel L. Antuñano, «Descubrimiento por amor», «Letras» (*El Norte de Castilla*), 26-9-92, p. 3.

Gabriel de Molina, «Rosa Romojaro descubre sus naipes», *Almoraima*, 8, octubre 1992, p. 118.

José Antonio Hernández Guerrero, «Una novela sobre literatura», «Suplemento Cultura» (*Diario de Cádiz*), 14-11-92, p. 34.

Manuel Alberca, «Tensión, intensidad y múltiples lecturas» (sobre *Páginas amarillas*), *Turia*, 23, febrero 1993, pp. 275-278.

Susana Cavallo, «La aventura de la narración: un estudio de *Páginas amarillas* de Rosa Romojaro». Ponencia. *Louisiana Conference on Hispanic Languages and Literatures*. Sponsored by Tulane University. Frebuary 25-27, 1993. New Orleans, Louisiana.

Caridad Oriol, «Soledad e identidad en la novela de Rosa Romojaro», *Suplementos Anthropos*, septiembre 1993, pp. 91c-94b.

José Luis García Martín, «Poesía andaluza, española, universal (I)», *El Ciervo*, XLII, 512-513, noviembre-diciembre 1993, pp. 25-28.

Cecilia Belmar, «Juego de espejos y simulacros en *Páginas amarillas* de Rosa Romojaro». Comunicación. II *Simposio Internacional sobre Narrativa Hispánica contemporánea. «Mujer y Literatura»*. El Puerto de Santa María, 24-26 de noviembre de 1994. (Actas en prensa)

Miguel García-Posada (ed.), «Rosa Romojaro», en *Poesía española, 10. La nueva poesía (1975-1992)*, Barcelona, Crítica, 1996, pp. 24 y 57-61.

Enciclopedia Universal Ilustrada Europeo-Americana. Index (1934-1996), Madrid, Espasa-Calpe, 1998, p.1093.

Ramón Jiménez Madrid, Sobre *Páginas amarillas*, en «Literatura española», *Enciclopedia Universal Ilustrada Europeo-Americana. Suplemento anual, 1991-1992*, Madrid, Espasa-Calpe, 1993 , p.983.

Felipe B. Pedraza Jiménez y Milagros Rodríguez Cáceres, *Las épocas de la literatura española*, Barcelona, Ariel, 1997, p.396.

Sharon Keefe Ugalde, «El proceso evolutivo y la coherencia de la poesía femenina en castellano», *Zurgai*, Junio 93, pp. 29, 33, 34.

Juan Cano Ballesta, «Poesía de la experiencia y mitos helénicos», *Ínsula*, 620-621, agosto-septiembre 1998, pp.17-18.

Luis Alberto de Cuenca (Coord.), *La poesía y el mar. A poesia e o mar*, Madrid, Visor, 1998.

Bienvenida Robles Martín, «Espacios poéticos y narrativos en la obra de Rosa Romojaro (*Páginas amarillas* y *La ciudad fronteriza*)», en *Escribir mujer. Narradoras españolas hoy. Actas del XIII Congreso de Literatura Española Contemporánea*, Málaga, 2000, pp. 343-355.

Gertie Falk, «Manche mögen's spanisch: Romojaro bei Pustet», *Passauer Neue Presse*, 12-7-2000, p. 29.

Bienvenida Robles, «Arte poética» (sobre *Zona de varada*), *Al Día. Libros (Sur)* 9-6-2001, p.58.

Álvaro García, «Sobre la poesía de Rosa Romojaro», en Rosa Romojaro, *Poemas*, Aula de Letras 2000-2001, Vicerrectorado de Cultura, Universidad de Málaga, 2001, pp.3-6.

José Luis García Martín, «*Zona de varada*», *El Cultural. El Mundo*, 11-17 de julio de 2001.

José Ramo, «Poesía. Con Rosa Romojaro en la ciudad fronteriza», en *El Péndulo*, II, 16, junio/julio/agosto 2001, pp.38-39.

Miguel García-Posada, «Barco varado» (sobre *Zona de varada*), *ABC Cultural*, 29-9-2001, p.17.

M. G. P., en «Los críticos de *ABC Cultural* recomiendan», *ABC Cultural*, 22 de diciembre de 2002, p. 8.

Ricardo Senabre, en «Lo mejor del año. Libros», *El Cultural*. *El Mundo*, 26 de diciembre de 2001-1 de enero de 2002, p. 10.

«Los 100 libros del mes. Poesía» (sobre *Zona de varada*) en *Qué leer*, núm. 62, enero 2002, p. 91.

Cristóbal Cuevas, «Palabras para *Zona de varada*», en Rosa Romojaro, *Máquina y Poesía*, 24, Centro Cultural de la Generación del 27, Málaga, 2002, pp. 4-5.

Enrique Baltanás (Ed.), *Los cuarenta principales. Antología general de la poesía andaluza contemporánea (1975-2002)*, Sevilla, Renacimiento (Calle del Aire, 68), 2002, pp. 59-68.

Femenino Singular
ANTOLOGÍA DE MUJERES. POETAS DE MÁLAGA,
edición de Tina Pereda,
se acabó de imprimir el día 23 de abril de 2006,
Día Internacional del Libro,
en los talleres de Publidisa